COMPÉTENCES

COMPRÉHENSION ORALE

NIVEAU 1

Michèle Barféty
Patricia Beaujoin

A1-A2

CLE
INTERNATIONAL
www.cle-inter.com

Crédits photos :

P. 44g © He2 – Fotolia.com ; **p. 44gm** © carlos perez gomez – Fotolia.com ; **p. 44dm** © alp. egor – Fotolia.com ; **p. 44d** © Alekss – Fotolia.com ; **p. 84-1** © ILYA AKINSHIN – Fotolia.com ; **p. 84-2** © Jipé – Fotolia.com ; **p. 84-3** © robynmac – Fotolia.com ; **p. 84-4** © Sergii Moscaliuk – Fotolia.com ; **p. 84-5** © baibaz – Fotolia.com ; **p. 84-6** © Diana Taliun – Fotolia.com ; **p. 84-7** © wealthy_b – Fotolia.com ; **p. 84-8** © sommai – Fotolia.com ; **p. 84m-1** © rdnzl – Fotolia.com ; **p. 84m-2** © He2 – Fotolia.com ; **p. 84m-3** © Mybona – Fotolia.com ; **p. 84m-4** © tarasov_vl – Fotolia.com ; **p. 84b-1** © guy – Fotolia.com ; **p. 84b 2** © Brad Pict – Fotolia.com ; **p. 84b-3** © cipariss – Fotolia.com ; **p. 84b-4** © Uros Petrovic – Fotolia.com ; **p. 104g** © MO:SES – Fotolia.com ; **p. 104gm** © Konstantinos Moraiti – Fotolia.com ; **p. 104dm** © Pixinoo – Fotolia.com ; **p. 104d** © Leonid Andronov – Fotolia.com ; **p. 105g** © andrzej2012 – Fotolia.com ; **p. 105m** © Ivonne Wierink – Fotolia.com ; **p. 105d** © majonit – Fotolia.com.

Direction éditoriale : Béatrice Régo
Marketing : Thierry Lucas
Édition : Martine Ollivier, Virginie Poitrasson
Mise en page : CGI, Domino

Enregistrement : Vincent Bund
Illustrations : Benoît du Peloux

© CLE International/SEJER, 2016
ISBN : 978-2-09-038188-7

AVANT-PROPOS

Cet ouvrage de compréhension orale s'adresse à des apprenants adultes et adolescents totalisant au moins 80 heures de français.

Il permet une préparation aux épreuves de compréhension orale des DELF A1 et A2.

Le niveau de compétence requis correspond aux niveaux A1 et A2 du Cadre européen commun de référence pour les langues.

Ce manuel d'exercices d'entraînement à la compréhension orale est accompagné d'un CD contenant tous les documents sonores. Il peut être utilisé en classe, en complément de la méthode de FLE habituelle ou en autoapprentissage. Les transcriptions des enregistrements et les corrigés des exercices sont fournis à la fin du recueil.

L'ouvrage se compose de 5 unités de 3 leçons chacune.

- Chaque unité comporte une progression lexicale et syntaxique.
- Chaque leçon comprend trois doubles pages intitulées : **1. Repérer**, **2. Comprendre** et **3. Réagir**, articulées autour d'un thème commun et centrées sur des objectifs spécifiques. Chacune de ces doubles pages propose des tâches différentes faisant appel à des stratégies d'écoute progressives et complémentaires.
- Des visuels présents à chaque double page rendent la séquence plus attrayante et constituent un premier exercice d'association. Ils permettent aussi de faciliter la compréhension en fournissant des pistes d'écoute.
- Des outils lexicaux et grammaticaux sont proposés et exploités sur chaque double page. Ils permettent de consolider les acquis en contexte.
- À la fin de chaque unité, un bilan, reprenant les acquisitions lexicales et grammaticales, permet à l'apprenant de s'autoévaluer.

– Dans la première double page, l'apprenant doit **repérer** des informations calquées sur le document sonore dans un corpus plus ou moins large. Il doit reconnaître des éléments entendus et utiliser ces indices pour comprendre le contenu de l'enregistrement.

Les activités proposées ne nécessitent aucune production écrite. Ce sont des exercices d'association, de discrimination lexicale ou phonétique, ou de remise en ordre du discours.

– Dans la deuxième double page, l'apprenant doit **comprendre** le contenu du document à l'aide d'exercices utilisant des reformulations. Il doit appréhender le document par le sens global plus que par la reconnaissance d'éléments entendus.

Les activités proposées sont des exercices de discrimination lexicale, mais aussi des exercices nécessitant une production écrite du type : compléter, corriger des propositions données, ou formuler des réponses à des questions.

– Dans la troisième double page, l'apprenant doit **réagir** à l'écoute en répondant à des questions directes sur le contenu. Il doit avoir une compréhension globale, puis détaillée du document lui permettant d'interpréter la situation et d'en imaginer les circonstances implicites.

Les activités proposées sont des exercices de production écrite : questions, réponses, reformulations, transcriptions. Certaines de ces activités peuvent nécessiter une écoute segmentée.

SOMMAIRE

//

UNITÉ 4 *Faire des achats*

UNITÉ 5 *Se déplacer*

OBJECTIF FONCTIONNEL : Identifier un interlocuteur.

GRAMMAIRE : Le présent des verbes : *être, avoir* et les verbes en *–er*
faire, aller + prépositions – Pour + verbe à l'infinitif. Verbes en *–ir* type *finir*
La question : *comment ? quel ? où ? est-ce que ? qu'est-ce que ?*

LEXIQUE : Professions et nationalités – Lieux et activités – Situation de famille, état civil.

1

2

3

4

5

// **PISTE 1** ❯ 1ʳᵉ ÉCOUTE

1. Associez les invités à leur photo.

1ᵉʳ invité : n° ....   2ᵉ invité : n° ....   3ᵉ invité : n° ....   4ᵉ invité : n° ....   5ᵉ invité : n° ....

// **PISTE 1** ❯ 2ᵉ ÉCOUTE

2. Choisissez vrai ou faux.

		Vrai	Faux
1ᵉʳ invité :	Il est indien.	☐	☐
	Il a 24 ans.	☐	☐
	Il est médecin.	☐	☐
2ᵉ invité :	Elle s'appelle Jade.	☐	☐
	Elle habite à Paris.	☐	☐
	Elle est vendeuse.	☐	☐
3ᵉ invité :	Il est informaticien.	☐	☐
	Il a 35 ans.	☐	☐
	Il est belge.	☐	☐

		Vrai	Faux
4ᵉ invité :	Il est suisse.	☐	☐
	Il travaille à Lille.	☐	☐
	Il est danseur.	☐	☐
5ᵉ invité :	Elle s'appelle Yuko.	☐	☐
	Elle a 22 ans.	☐	☐
	Elle est polonaise.	☐	☐

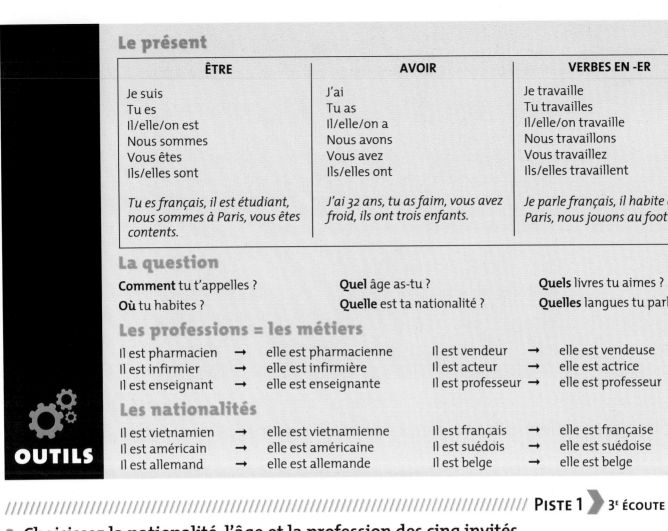

OUTILS

Le présent

ÊTRE	AVOIR	VERBES EN -ER
Je suis Tu es Il/elle/on est Nous sommes Vous êtes Ils/elles sont	J'ai Tu as Il/elle/on a Nous avons Vous avez Ils/elles ont	Je travaille Tu travailles Il/elle/on travaille Nous travaillons Vous travaillez Ils/elles travaillent
Tu es français, il est étudiant, nous sommes à Paris, vous êtes contents.	*J'ai 32 ans, tu as faim, vous avez froid, ils ont trois enfants.*	*Je parle français, il habite à Paris, nous jouons au football.*

La question

Comment tu t'appelles ?　　　　**Quel** âge as-tu ?　　　　**Quels** livres tu aimes ?

Où tu habites ?　　　　**Quelle** est ta nationalité ?　　　　**Quelles** langues tu parles ?

Les professions = les métiers

Il est pharmacien → elle est pharmacienne　　Il est vendeur → elle est vendeuse

Il est infirmier → elle est infirmière　　Il est acteur → elle est actrice

Il est enseignant → elle est enseignante　　Il est professeur → elle est professeur

Les nationalités

Il est vietnamien → elle est vietnamienne　　Il est français → elle est française

Il est américain → elle est américaine　　Il est suédois → elle est suédoise

Il est allemand → elle est allemande　　Il est belge → elle est belge

/// **PISTE 1** 〉 **3ᴱ ÉCOUTE**

3. Choisissez la nationalité, l'âge et la profession des cinq invités.

	Belge	Anglais/e	Russe	Japonais/e	Italien/ne	38 ans	22 ans	32 ans	34 ans	50 ans	étudiant/e	professeur	électricien/ne	coiffeur/euse	médecin
Andrea															
Jane															
Frédéric															
Dimitri															
Yuki															

/// **PISTE 1** 〉 **4ᴱ ÉCOUTE**

4. Qu'est-ce que vous entendez ?

1. ☐ a. ici Radio Sud　　　　☐ b. ici Radio Plus

2. ☐ a. je vous présente les invités　　　　☐ b. je vous présente nos invités

3. ☐ a. vous habitez où ?　　　　☐ b. où vous habitez ?

4. ☐ a. c'est comme ça　　　　☐ b. c'est ça

5. ☐ a. vous êtes étudiante à Lyon　　　　☐ b. vous êtes contente à Lyon

6. ☐ a. la vie en France　　　　☐ b. vivre en France

// **PISTE 2** ❯ 1ʳᵉ ÉCOUTE

5. Qu'est-ce que Sophie et Patrice font ? Associez deux images au dialogue.

Images n°....... et ....

// **PISTE 2** ❯ 2ᵉ ÉCOUTE

6. Choisissez vrai, faux, on ne sait pas.

	Vrai	Faux	?
1. Patrice va à la piscine.	☐	☐	☐
2. Patrice est fatigué.	☐	☐	☐
3. Patrice aime le restaurant chinois.	☐	☐	☐
4. Sophie n'a pas faim.	☐	☐	☐
5. Sophie aime le cinéma.	☐	☐	☐
6. Patrice et Sophie vont au cinéma.	☐	☐	☐
7. Julien est sportif.	☐	☐	☐
8. Sophie déteste les comédies musicales.	☐	☐	☐
9. Patrice aime les comédies musicales.	☐	☐	☐
10. Julien va au théâtre.	☐	☐	☐

// **PISTE 2** ❯ 3ᵉ ÉCOUTE

7. Qui dit cela ?

	Sophie	Patrice	Julien
1. On traverse.			
2. Je suis fatiguée.			
3. Pour voir quel film ?			
4. Vous allez où ?			
5. Qu'est-ce que tu vas voir ?			
6. Tu n'es pas fatiguée.			

Le présent

FAIRE		ALLER	
Je fais Tu fais Il/elle/on fait Nous faisons Vous faites Ils/elles font	*Faire une activité de loisir* Faire **du** vélo, **du** théâtre, **de** l'escalade, **de la** musique, **de la** natation, **de la** randonnée... *Faire une activité quotidienne* Faire **la** cuisine, **le** ménage, **la** vaisselle, **les** courses...	Je vais Tu vas Il/elle/on va Nous allons Vous allez Ils/elles vont	*Aller à un endroit* Aller **à la** piscine, **au** cinéma, **à** l'école, **à** Paris... **Mais on dit :** aller **en** boîte (= en discothèque) *Aller **chez** une personne* Aller **chez** une amie, **chez** le médecin, **chez** le coiffeur...

POUR + verbe à l'infinitif : *On va au cinéma **pour voir** un film.*
*On va à la piscine **pour nager**.*
*On va au marché **pour acheter** des fruits.*
*On va à l'école **pour étudier**.*

OUTILS

// PISTE 3 ❯ 1ʀᴇ ÉCOUTE

8. Choisissez la bonne réponse.

1. M. Dupont et Mlle Sicart sont ...
☐ des amis   ☐ des frère et sœur   ☐ des collègues de travail

2. M. Dupont est...
☐ marié   ☐ divorcé   ☐ célibataire

3. Le samedi M. Dupont fait...
☐ le ménage et la cuisine   ☐ les courses et la cuisine   ☐ la vaisselle et la cuisine

4. Qui fait le ménage chez M. Dupont ?
☐ sa mère   ☐ sa fille   ☐ sa femme

// PISTE 3 ❯ 2ᴇ ÉCOUTE

9. Choisissez la bonne réponse.

1. M. Dupont mange *au bar / au restaurant*.

2. À midi Mlle Sicart va *à la piscine / à la cantine*.

3. M. Dupont fait du sport avec *un ami / avec sa femme*.

4. Le dimanche M. Dupont fait *de la randonnée / de l'escalade*.

5. Il fait cette activité *à la montagne / à la campagne*.

6. Le week-end Mlle Sicart va *chez sa fille / chez des amis*.

7. Le samedi soir elle va *au cinéma / en boîte*.

// PISTE 3 ❯ 3ᴇ ÉCOUTE

10. Complétez les phrases avec deux mots : préposition et verbe.

1. M. Dupont va au restaurant ....

2. Mlle Sicart va à la piscine .... de la gymnastique dans l'eau.

3. M. Dupont va à la montagne .... de la randonnée.

4. Mlle Sicart va chez ses amis .... ou ....

5. Mlle Sicart va en boîte ....

1

2

// **PISTE 4** ❯ **1ʳᵉ ÉCOUTE**

11. Associez une image au dialogue.

Image n°.......

12. Répondez aux questions.

1. Où se passe la scène ?

....

2. Pourquoi la femme est-elle là ?

....

3. Les deux personnes se connaissent-elles ?

....

// **PISTE 4** ❯ **2ᴱ ÉCOUTE**

13. Complétez la fiche.

FICHE PERSONNELLE

NOM : ....

PRÉNOM : ....

NOM DE JEUNE FILLE : ....

DATE DE NAISSANCE : ....

LIEU DE NAISSANCE : ....

SITUATION DE FAMILLE : ....

PROFESSION : ....

ADRESSE : ....

Le présent

Les verbes : *vieillir, finir, choisir grandir, grossir, remplir* ... se conjuguent de la même manière.

Je fin**is**	*Je finis mon travail/je finis **de** travailler.*
Tu fin**is**	*Tu choisis un livre/tu choisis **de** lire.*
Il/elle/on fin**it**	*Il vieillit bien.*
Nous fin**issons**	*Nous grossissons toujours.*
Vous fin**issez**	*Vous remplissez la fiche.*
Ils/elles fin**issent**	*Ils grandissent vite.*

La question :

« Est-ce que... ? »
Est-ce que vous êtes français ?
Oui, je suis français. / **Non**, je ne suis pas français.
Est-ce que vous avez des enfants ?
Oui, j'ai deux enfants. / **Non**, je n'ai pas d'enfants.

« Qu'est-ce que... ? »
Qu'est-ce que vous étudiez ?
Nous étudions **le français**.
Qu'est-ce que vous écoutez ?
Nous écoutons **la radio.**

L'identité

La situation de famille : être marié(ée)/ divorcé(ée)/célibataire/ veuf(veuve) = sa femme / son mari est mort(e).
L'administration : aller à la mairie/ à la préfecture - Faire une demande de passeport/ de carte d'identité/ de carte de séjour - Remplir une fiche de renseignements/ un formulaire/ un questionnaire.

/// **PISTE 4** ⟩ 3ᴱ ÉCOUTE

14. Complétez les phrases.

1. .... ça s'écrit ?

2. .... est votre nom de jeune fille ?

3. Vous êtes née .... ?

4. .... vous faites dans la vie ?

5. .... vous avez les 3 photos ?

6. .... je peux avoir mon passeport rapidement ?

7. Vous .... ce formulaire et vous .... s'il vous plaît.

8. Oh je .... !

9. Eh oui, les enfants .... vite.

/// **PISTE 4** ⟩ 4ᴱ ÉCOUTE

15. Qu'est-ce que vous entendez ?

1. ☐ a. Il faut au minimum 3 semaines Madame.   ☐ b. Il faut au minimum 4 semaines Madame.

2. ☐ a. Excusez-moi, vous n'êtes pas monsieur Tessier ?   ☐ b. Excusez-moi, vous n'êtes pas Paul Tessier ?

3. ☐ a. Et toi, toujours célibataire ?   ☐ b. Et toi, tu vis en Angleterre ?

4. ☐ a. Je suis marié, j'ai un garçon... Il a 5 ans.   ☐ b. Je suis divorcé, j'ai un garçon... Il a 25 ans.

FAIRE CONNAISSANCE

OBJECTIFS FONCTIONNELS : Découvrir les autres.

GRAMMAIRE : Le présent des verbes : *savoir, connaître/ attendre, prendre/dire, conduire.*
Les adjectifs possessifs (*mon, ton, son...*).
Les trois formes de la question simple.

LEXIQUE : La famille – La description physique – Les qualités et les défauts – L'appréciation et l'opinion.

1   2   3

4   5   6

// PISTE 5 〉 1ʳᵉ ÉCOUTE

1. Associez deux images au dialogue :

Images n°....... et ....

// PISTE 5 〉 2ᴱ ÉCOUTE

2. Choisissez vrai, faux, on ne sait pas.

	Vrai	Faux	?
1. Alice sort demain soir.	☐	☐	☐
2. Alice parle avec sa mère.	☐	☐	☐
3. Alice va dîner chez son père.	☐	☐	☐
4. La femme va accompagner Alice avec sa voiture.	☐	☐	☐
5. Alice va téléphoner à Antoine.	☐	☐	☐
6. Alice va demander un rendez-vous à Antoine.	☐	☐	☐
7. Alice va rentrer en taxi.	☐	☐	☐
8. Alice va rentrer à 22h.	☐	☐	☐

CONNAITRE		SAVOIR	
Je connais Tu connais Il/elle/on connait Nous connaissons Vous connaissez Ils/elles connaissent	**Connaître + nom** *Je connais son adresse, il connait mon père, tu connais Alice.*	Je sais Tu sais Il/elle/on sait Nous savons Vous savez Ils/elles savent	**Savoir + verbe à l'infinitif** *Je sais parler français, il sait nager.* **Savoir + phrase** *Tu sais où j'habite, je sais que tu es là.*

Les adjectifs possessifs

mon/ton/son + nom masculin singulier — Ex. : J'aime mon travail.
ma/ta/sa   + nom féminin singulier — Ex. : C'est sa maison.
mes/tes/ses + nom pluriel masculin ou féminin — Ex. : Il connait tes frères et tes sœurs.

La famille

Les grands-parents	le grand père et la grand-mère	ils ont des enfants et des petits-enfants.
Les parents	le père et la mère	ils sont mari et femme.
Les enfants	le fils et la fille	Ils sont frères et sœurs.

Les autres membres de la famille : l'oncle et la tante, le cousin et la cousine, le neveu et la nièce.

 **PISTE 5** 3ᴱ ÉCOUTE

3. Choisissez la bonne réponse.

1. Ce soir Alice va : *chez les parents d'Antoine / à l'appartement d'Antoine.*

2. Elle est invitée : *pour la première fois / pour la deuxième fois.*

3. Alice voudrait mettre : *son beau pull noir / son pantalon noir.*

4. Sa mère préfère : *sa petite robe rouge / sa jolie jupe rouge.*

5. Alice ne connait pas : *la sœur d'Antoine / l'adresse d'Antoine.*

6. Alice va apporter : *des fleurs / du vin.*

7. Le frère d'Antoine a : *20 ans / 21 ans.*

 **PISTE 5** 4ᴱ ÉCOUTE

4. Complétez avec les mots que vous entendez.

1. Mais tu .... ses parents ?

2. Ah je ne .... pas...

3. Pas de problème, tu .... son adresse ?

4. Euh... je .... que ce n'est pas très loin...

5. ...mais tu ne .... pas exactement où il habite !

6. C'est parfait ma .... !

7. Qu'est-ce que j'apporte à ses ....

8. Des fleurs pour sa ...., c'est très bien.

9. Ben, en voiture avec le .... d'Antoine.

// PISTE 6 ❭ 1ʳᵉ ÉCOUTE

5. Deux amis parlent de leurs collègues. Retrouvez-les.

Jacques : n°......., Inès : n°......., Georges : n°......., M. Maurin : n°......., Sandra : n°.......

// PISTE 6 ❭ 2ᵉ ÉCOUTE

6. Cochez la bonne réponse.

1. Marie veut prendre ☐ un petit café. ☐ un petit thé.

2. Inès est ☐ la fille de Jacques. ☐ la femme de Jacques.

3. Georges est ☐ un collègue. ☐ un serveur.

4. Georges lit ☐ un livre en chinois. ☐ un livre en danois.

5. M. Maurin est ☐ le nouveau professeur. ☐ le nouveau directeur.

6. Pierre et M. Maurin ☐ prennent le métro. ☐ prennent le train.

7. Sandra ☐ habite avec Pierre. ☐ travaille avec Pierre.

// PISTE 6 ❭ 3ᵉ ÉCOUTE

7. Répondez aux questions avec des adjectifs que vous entendez.

1. Comment est Inès ?...

2. Quel type de femmes Jacques aime-t-il ?...

3. Comment est Georges ?...

4. Comment Marie décrit-elle M. Maurin ?..

5. Quelle est la couleur des yeux de M. Maurin ?..

6. Quelle est la couleur des yeux de Pierre ?..

7. Comment est Sandra ?..

8. Comment sont les cheveux de Sandra ?...

Le présent

ATTENDRE		PRENDRE	
J'attend**s** Tu attend**s** Il/elle/on attend Nous atten**dons** Vous atten**dez** Ils/elles atten**dent**	Il attend le train. Elle attend un ami. **Autres verbes :** *Entendre, vendre, descendre, répondre...*	Je prend**s** Tu prend**s** Il/elle/on prend Nous pren**ons** Vous pren**ez** Ils/elles prenn**ent**	Je prends le bus, le métro. Je prends un café, un thé. Je prends une douche. **Autre verbes :** *Apprendre, comprendre*

La description physique

– Il est grand ≠ petit, mince ≠ gros, beau ≠ laid, brun ≠ blond, jeune ≠ vieux.

*Attention ! Un **beau** garçon, un **vieux** monsieur mais un **bel** homme, un **vieil** ami.*
*(devant un nom masculin commençant par a, e, i, o, u et h, on remplace **beau** et **vieux** par **bel** et **vieil**)*

– Elle est grande ≠ petite, mince ≠ grosse, belle ≠ laide, brune ≠ blonde, jeune ≠ vieille.
– Elle a les yeux bleus, verts, marron, noirs...
– Elle a les cheveux courts ≠ longs. / Elle a les cheveux blonds, châtains, bruns, noirs.
– Il est chauve = Il n'a pas de cheveux.

OUTILS

// PISTE 6 ⟩ 4ᴱ ÉCOUTE

8. Complétez avec les verbes que vous entendez.

1. Pierre, on .... encore un petit café et on .... au travail ?

2. Jacques .... les femmes jeunes, brunes et minces.

3. Je ne le .... pas...

4. Il .... le chinois et il parle bien, mais je ne .... rien.

5. Je le connais, il .... le métro avec moi tous les jours.

6. Mais qu'est-ce qu'elle .... ?

7. Je crois qu'elle m'...............................

// PISTE 6 ⟩ 5ᴱ ÉCOUTE

9. Qu'est-ce que vous entendez ?

1. ☐ a. D'accord Marie.   ☐ b. Ok Marie.

2. ☐ a. C'est sûr ?   ☐ b. Tu es sûre ?

3. ☐ a. Bien...   ☐ b. Tiens...

4. ☐ a. Mais pas du tout.   ☐ b. Mais c'est tout.

5. ☐ a. ... qui est près de la porte.   ☐ b. ... qui est devant la porte.

6. ☐ a. Je vais au travail.   ☐ b. Allez au travail.

// **PISTE 7** **1ʳᵉ ÉCOUTE**

10. Associez une image au dialogue.

Image n°.......

// **PISTE 7** **2ᴱ ÉCOUTE**

11. Quels sont les qualités et les défauts de Léa, Olivier, Sophie et Max ?

		Léa	Olivier	Sophie	Max
Qualités	Sympathique				
	Sérieux/sérieuse				
	Amusant/amusante				
	Gentil/gentille				
	Intelligent/intelligente				
	Intéressant/intéressante				
	Calme				
	Joyeux/joyeuse				
Défauts	Stupide				
	Antipathique				
	Ennuyeux/ennuyeuse				

// **PISTE 7** **3ᴱ ÉCOUTE**

12. Complétez les phrases avec les verbes que vous entendez.

1. Bon, maintenant, on .... : Sophie, Olivier ou Léa ?

2. Oui mais moi, je .... Olivier.

3. Je ne .... pas qu'elle est stupide.

4. Et Sophie ? Moi je la .... très intéressante Elle .... beaucoup.

5. Si, tu .... raison. On .... Olivier.

6. Tu .... d'accord Max ?

7. Bien sûr, il .... les chiens.

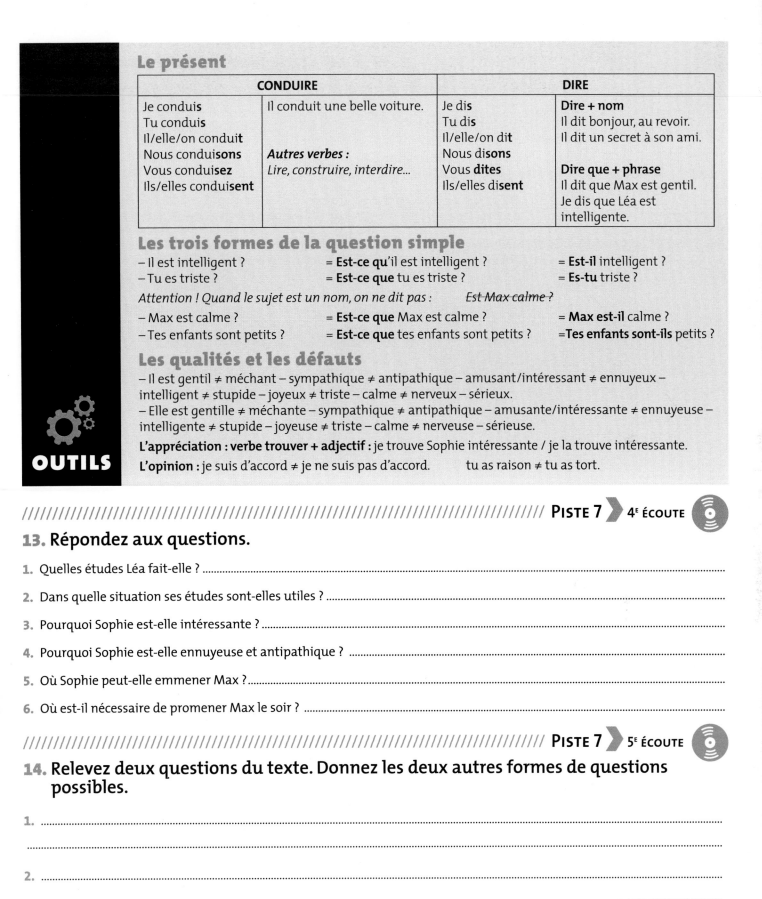

Le présent

CONDUIRE		DIRE	
Je condui**s** Tu condui**s** Il/elle/on condui**t** Nous condui**sons** Vous condui**sez** Ils/elles condui**sent**	Il conduit une belle voiture. *Autres verbes :* *Lire, construire, interdire...*	Je di**s** Tu di**s** Il/elle/on di**t** Nous di**sons** Vous **dites** Ils/elles di**sent**	**Dire + nom** Il dit bonjour, au revoir. Il dit un secret à son ami. **Dire que + phrase** Il dit que Max est gentil. Je dis que Léa est intelligente.

Les trois formes de la question simple

– Il est intelligent ? = **Est-ce qu'**il est intelligent ? = **Est-il** intelligent ?

– Tu es triste ? = **Est-ce que** tu es triste ? = **Es-tu** triste ?

Attention ! Quand le sujet est un nom, on ne dit pas : ~~Est Max calme ?~~

– Max est calme ? = **Est-ce que** Max est calme ? = **Max est-il** calme ?

– Tes enfants sont petits ? = **Est-ce que** tes enfants sont petits ? = **Tes enfants sont-ils** petits ?

Les qualités et les défauts

– Il est gentil ≠ méchant – sympathique ≠ antipathique – amusant/intéressant ≠ ennuyeux – intelligent ≠ stupide – joyeux ≠ triste – calme ≠ nerveux – sérieux.

– Elle est gentille ≠ méchante – sympathique ≠ antipathique – amusante/intéressante ≠ ennuyeuse – intelligente ≠ stupide – joyeuse ≠ triste – calme ≠ nerveuse – sérieuse.

L'appréciation : verbe trouver + adjectif : je trouve Sophie intéressante / je la trouve intéressante.

L'opinion : je suis d'accord ≠ je ne suis pas d'accord.   tu as raison ≠ tu as tort.

OUTILS

// **PISTE 7** ❯ 4ᴱ ÉCOUTE

13. Répondez aux questions.

1. Quelles études Léa fait-elle ? ....

2. Dans quelle situation ses études sont-elles utiles ? ....

3. Pourquoi Sophie est-elle intéressante ? ....

4. Pourquoi Sophie est-elle ennuyeuse et antipathique ? ....

5. Où Sophie peut-elle emmener Max ? ....

6. Où est-il nécessaire de promener Max le soir ? ....

// **PISTE 7** ❯ 5ᴱ ÉCOUTE

14. Relevez deux questions du texte. Donnez les deux autres formes de questions possibles.

1. ....

....

2. ....

....

OBJECTIF FONCTIONNEL : Se situer dans le temps.

GRAMMAIRE : Le présent des verbes : *sortir, dormir, vivre, écrire, mettre, venir* – Les adjectifs possessifs – La question : *quand ? quel jour ? à quelle heure ? où ? combien de ? comment ?* (les trois formes).

LEXIQUE : La semaine, l'heure, fixer un rendez-vous – Les nombres – Les goûts.

1   2   3

// **PISTE 8** ❭ **1ʀᴇ ÉCOUTE**

1. Associez le dialogue à une image. Image n°.......

2. Choisissez vrai ou faux.

	Vrai	Faux
1. La femme connait bien l'homme.	☐	☐
2. C'est l'anniversaire de Zoé.	☐	☐
3. L'anniversaire est mercredi.	☐	☐
4. La femme habite au 2 avenue de la mer.	☐	☐
5. L'homme ne travaille pas.	☐	☐
6. L'homme prend le métro.	☐	☐
7. L'homme va arriver un peu tard.	☐	☐
8. La femme n'est pas contente.	☐	☐

// **PISTE 8** ❭ **2ᴇ ÉCOUTE**

3. Qu'est-ce que vous entendez ?

1. La date de l'anniversaire est   ☐ le 25 mars.
                                          ☐ le 27 mars.

2. La femme fait-elle la fête   ☐ le matin ?
                                          ☐ l'après-midi ?

3. La fête commence   ☐ à 15h.
                          ☐ à 16h.

4. La femme habite   ☐ au deuxième étage.
                        ☐ au troisième étage.

5. La fête finit   ☐ à 17h.   ☐ à 18h.

6. L'homme sort du bureau   ☐ à 17h30.   ☐ à 18h30.

7. Dans le métro, l'homme reste   ☐ 15 minutes.
                                            ☐ 20 minutes.

Le présent

SORTIR	
Je sor**s** Tu sor**s** Il/elle/on sor**t** Nous sor**tons** Vous sor**tez** Ils/elles sor**tent**	Je sors le soir. **Sortir + nom** Il sort le chien. **Sortir de + nom de lieu** Elle sort **de** l'école, **du** bureau, **de la** piscine. ***Autres verbes :** partir, sentir*

La question

QUAND ?		QUEL JOUR ?
Vous travaillez quand ? Quand est-ce que vous travaillez ? Quand travaillez-vous ?	*Je travaille mardi/le 15 mai/à 8 heures.*	Vous partez quel jour ? Quel jour est-ce que vous partez ? Quel jour partez-vous ? Nous partons mardi/le 2 mars.

La semaine : lundi, mardi, mercredi, jeudi, vendredi, samedi, dimanche.

Quelle heure est-il ?

Il est trois heures (3 h)/trois heures cinq (3 h 05)/trois heures et quart (3 h 15)/trois heures et demie (3 h 30)/quatre heures moins vingt-cinq (3 h 35)/quatre heures moins le quart (3 h 45).
Il est midi (12 h).   Il est minuit (24 h).

Fixer un rendez-vous

Rendez-vous **à** 5 heures/On se retrouve **à** 5 heures.

OUTILS

/// **PISTE 9** ❯ **1ᴿᴱ ÉCOUTE**

4. Associez le dialogue à une image. Image n°.......

5. Choisissez la bonne réponse.

1. Combien le café coûte-t-il ? ☐ 1,30 € ☐ 1,40 € ☐ 1,50 €
2. À quelle heure le serveur finit-il son travail ? ☐ 19 h ☐ 20 h ☐ 21 h
3. Pourquoi son amie ne va-t-elle pas au concert ? ☐ Elle est malade. ☐ Sa fille est malade.
4. À quelle heure ont-ils rendez-vous ? ☐ 19 h ☐ 20 h ☐ 21 h

/// **PISTE 9** ❯ **2ᴱ ÉCOUTE**

6. Complétez avec les verbes que vous entendez.

1. Excusez-moi, mais vous .... à quelle heure ?

2. Vous .... le jazz ?

3. J'.. deux places pour un concert.

4. On se .... où et à quelle heure ?

/// **PISTE 9** ❯ **3ᴱ ÉCOUTE**

7. Qu'est-ce que vous entendez ?

1. ☐ a. Combien coûte le café ? ☐ b. C'est combien le café ?
2. ☐ a. Voilà... Excusez-moi, ... ☐ b. C'est là... Excusez-moi, ...
3. ☐ a. Ça vous intéresse ? ☐ b. Ça m'intéresse ?
4. ☐ a. C'est sûr. ☐ b. Bien sûr.

// **PISTE 10** 1RE ÉCOUTE

8. Associez trois images au dialogue.

Images n°......, n°......, n°......

// **PISTE 10** 2^E ÉCOUTE

9. Choisissez les propositions exactes ou répondez aux questions.

1. L'homme a rendez-vous ☐ a. mercredi. ☐ b. aujourd'hui.

2. L'homme a rendez-vous ☐ a. avec un client. ☐ b. avec un collègue.

3. L'homme a rendez-vous ☐ a. à son bureau. ☐ b. au restaurant.

4. Quel jour de la semaine est-ce ?...

5. C'est un jour important pour l'homme et la femme ? ☐ a. parce que c'est l'anniversaire de la femme.

   ☐ b. parce que c'est leur anniversaire de mariage.

6. Où vont-ils dîner ?...

7. La femme pense que cet endroit ☐ a. est trop cher. ☐ b. est trop chic.

8. La femme va mettre ☐ a. son tailleur noir. ☐ b. sa robe bleue.

9. La femme va aller au restaurant ☐ a. avec sa voiture. ☐ b. en taxi.

Le présent

VIVRE	ÉCRIRE	METTRE
Je vis	J'écris	Je mets
Tu vis	Tu écris	Tu mets
Il/elle/on vit	Il/elle/on écrit	Il/elle/on met
Nous vivons	Nous écrivons	Nous mettons
Vous vivez	Vous écrivez	Vous mettez
Ils/elles vivent	Ils/elles écrivent	Ils/elles mettent
Il vit à Lyon. Il vit avec sa mère.	*Elle écrit une lettre à son ami.*	*Je mets mon pantalon.*
Autres verbes : *servir, suivre*	**Autres verbes :** *s'inscrire, décrire*	*Je mets un livre dans mon sac.*

La question

OÙ	COMBIEN DE + NOM	COMMENT
Tu vas où ?	Tu as combien d'enfants ?	Tu vas à la mer comment ?
Où est-ce que tu vas ?	Combien d'enfants est-ce que tu as ?	Comment est-ce que tu vas à la mer ?
Où vas-tu ?	Combien d'enfants as-tu ?	Comment vas-tu à la mer ?
	Attention !	
	Combien ça coûte ? – Deux euros.	

Les nombres

10 dix, **20** vingt, **30** trente, **40** quarante, **50** cinquante, **60** soixante, **70** soixante-dix, **80** quatre-vingts, **90** quatre-vingt-dix – **100** cent – **200** deux cents – **308** trois cent huit – **475** quatre cent soixante-quinze – **1 000** mille – **2 000** deux mille – **3 834** trois mille huit cent trente-quatre.

OUTILS

/// PISTE 10 ❯ 3ᴱ ÉCOUTE 💿

10. Complétez avec les nombres que vous entendez.

1. À .... heures .... à mon bureau.

2. Oui, mardi .... juin.

3. Eh oui, ... ans. Et toi tu as un rendez-vous !

4. Oui mais je suis libre à .... heures.

5. .... euros, je ne sais pas. Peut-être .... euros.

6. Mais non, ... ans de mariage c'est important.

7. C'est parfait, et on se retrouve à .... heures .... au restaurant.

/// PISTE 10 ❯ 4ᴱ ÉCOUTE 💿

11. Complétez avec les verbes que vous entendez.

1. Tu ne .... pas ?

2. J'............................... l'heure de mon rendez-vous.

3. À quelle heure vous .... rendez-vous ?

4. Et aujourd'hui, quel jour ....nous Mathieu?

5. Oui mais je .... libre à 20h.

6. Tu es fou. Combien .... le repas ?

7. Tu .... raison. Je .... ma belle robe bleue ce soir ?

1 2 3

// **PISTE 11** ❯ 1ʳᵉ ÉCOUTE

12. Associez une image au dialogue.

Image n°.......

// **PISTE 11** ❯ 2ᵉ ÉCOUTE

13. Choisissez la bonne réponse ou répondez aux questions.

1. Quel jour est-ce ?...

2. Qu'est-ce qui se passe ce jour-là ?
☐ C'est la journée nationale de la ville à vélo.
☐ C'est la journée municipale de la ville à vélo.
☐ C'est la journée internationale de la ville à vélo.

3. Quelle heure est-il ?...

4. Où se passe la scène ? ☐ sur une place ☐ dans un parc ☐ sur un parking

5. Comment les gens arrivent-ils à ce rendez-vous ? ....

6. Le village de Pérols est à combien de kilomètres du lieu de rendez-vous ?
☐ à 6 km ☐ à 10 km ☐ à 26 km

7. L'homme fait du vélo parce qu'il aime
☐ la nature et le sport. ☐ la nature et le silence. ☐ la campagne et le silence.

8. L'homme a-t-il une voiture ?...

9. Comment l'homme va-t-il au travail ?...

10. L'homme n'est pas seul, il est avec...
☐ ses enfants et leurs amis. ☐ ses enfants et leur cousine. ☐ ses parents et leur voisine.

11. Avec qui la femme est-elle ?
☐ Avec une amie et ses deux enfants. ☐ Avec son mari et ses deux enfants. ☐ Avec un ami et ses vieux parents.

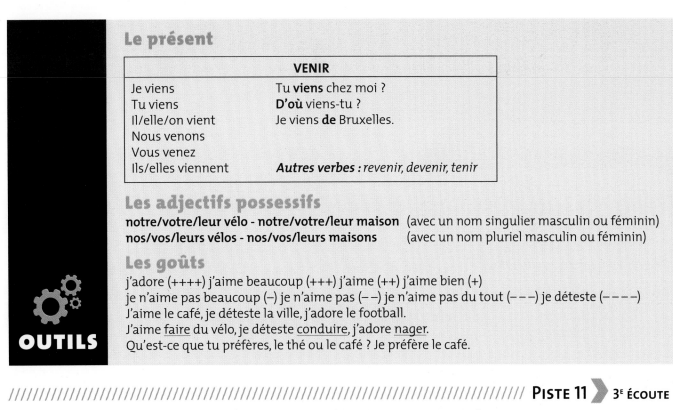

Le présent

VENIR	
Je viens	Tu **viens** chez moi ?
Tu viens	**D'où** viens-tu ?
Il/elle/on vient	Je viens **de** Bruxelles.
Nous venons	
Vous venez	
Ils/elles viennent	**Autres verbes :** *revenir, devenir, tenir*

Les adjectifs possessifs

notre/votre/leur vélo - notre/votre/leur maison (avec un nom singulier masculin ou féminin)
nos/vos/leurs vélos - nos/vos/leurs maisons (avec un nom pluriel masculin ou féminin)

Les goûts

j'adore (++++) j'aime beaucoup (+++) j'aime (++) j'aime bien (+)
je n'aime pas beaucoup (–) je n'aime pas (– –) je n'aime pas du tout (– – –) je déteste (– – – –)
J'aime le café, je déteste la ville, j'adore le football.
J'aime <u>faire</u> du vélo, je déteste <u>conduire</u>, j'adore <u>nager</u>.
Qu'est-ce que tu préfères, le thé ou le café ? Je préfère le café.

OUTILS

// **PISTE 11** ⟩ 3ᴱ ÉCOUTE

14. Complétez avec les adjectifs possessifs que vous entendez.

1. Il y a beaucoup de gens ici avec .... vélos.

2. Ce sont .... enfants ?

3. Oui, ... enfants et .... cousine.

4. Et ils sont tous ici avec .... vélos.

5. Je suis avec .... mari et .... deux enfants.

// **PISTE 11** ⟩ 4ᴱ ÉCOUTE

15. Complétez avec le verbe venir que vous entendez.

1. Ils .... pour ce grand rendez-vous.

2. Bonjour monsieur, d'où .... -vous ?

3. Je .... de Pérols.

4. Et vous madame, d'où ....-vous ?

5. Nous .... de Palavas.

// **PISTE 11** ⟩ 5ᴱ ÉCOUTE

16. Trouvez les erreurs et écrivez la phrase exacte.

1. Je viens de Pérols, une ville à 10 km d'ici...

2. J'ai une voiture mais j'adore le vélo. ....

3. C'est sûr !..

4. Ils sont tous assis sur leurs vélos...

5. Et vous mademoiselle, vous venez d'où ? ....

Bilan

DELF A1

25 POINTS

Écoutez les documents. Cochez les propositions exactes ou répondez aux questions.

// **Piste 12**

Document 1 (2 écoutes) — 5 POINTS

1. Comment s'appelle le magasin ? — 1 POINT

☐ l'Euro Marché   ☐ le Bon Marché   ☐ le Grand Marché

2. Quel jour le magasin sera-t-il ouvert ? — 1 POINT

....

3. Le magasin sera ouvert... — 1 POINT

☐ de 10h à 13h   ☐ de 10h à 15h   ☐ de 10h à 16h

4. Qu'est-ce que le magasin va vendre ? — 1 POINT

☐ des vélos d'enfants
☐ des vélos d'occasion
☐ des vélos d'appartement

5. Qu'est-ce que le magasin va donner en plus ? — 1 POINT

☐ deux DVD gratuits
☐ deux places gratuites
☐ deux casques gratuits

// **Piste 13**

Document 2 (2 écoutes) — 6 POINTS

1. Combien de villes vont-ils visiter ? — 1 POINT

☐ 5 villes   ☐ 6 villes   ☐ 7 villes

2. Quel est le prix du voyage ? — 2 POINTS

....

3. Combien doit-il payer pour le petit-déjeuner ? — 2 POINTS

....

4. Qu'est-ce qu'il est nécessaire d'avoir pour ce voyage ? — 1 POINT

....

// **Piste 14**

Document 3 (2 écoutes) — 6 POINTS

1. Quel est le jour de l'anniversaire de Lisa ? — 1 POINT

☐ mardi   ☐ mercredi   ☐ samedi

2. Où vont-ils faire la fête ? — 1 POINT

☐ chez les parents de Julie   ☐ chez les parents de Lisa

3. À quelle heure vont-ils arriver ? 1 POINT

....

4. Où vont-ils attendre Lisa ? 1 POINT

☐ dans la rue ☐ dans le jardin ☐ dans la maison

5. Qu'est-ce qu'ils vont acheter ? 1 POINT

....

6. Combien coûte le cadeau ? 1 POINT

☐ 230 euros ☐ 240 euro ☐ 330 euros

/// **PISTE 15**

Document 4 (2 écoutes) 8 POINTS

Écoutez le document. Associez chaque dialogue à une image. Attention il y a 6 images mais seulement 5 dialogues.

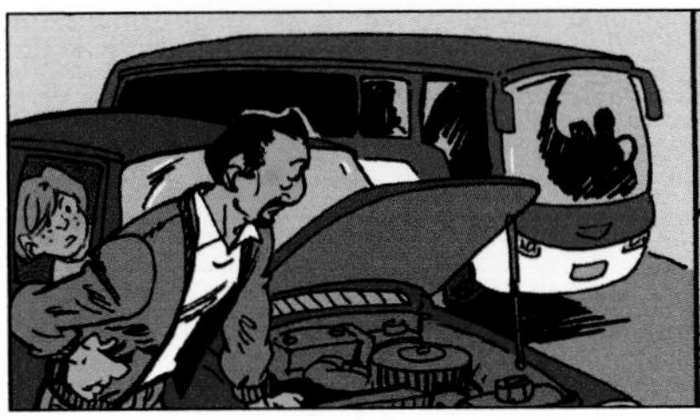

a

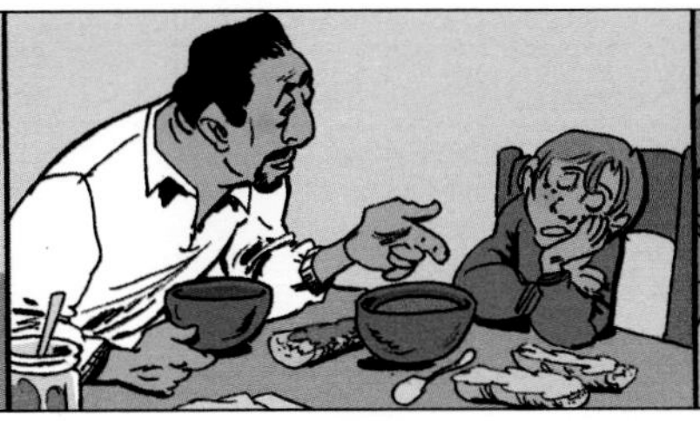

b

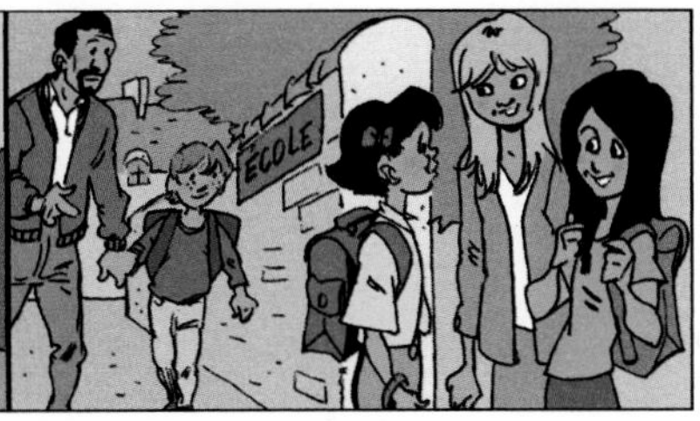

c

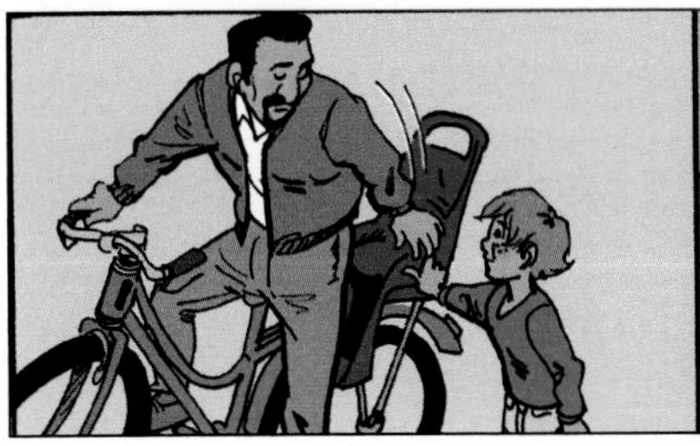

d

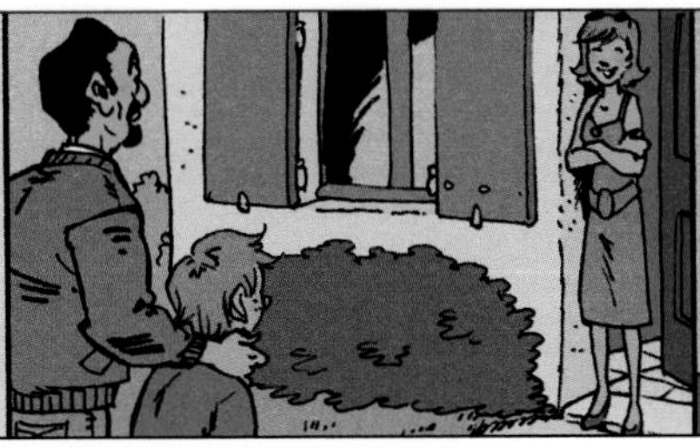

e

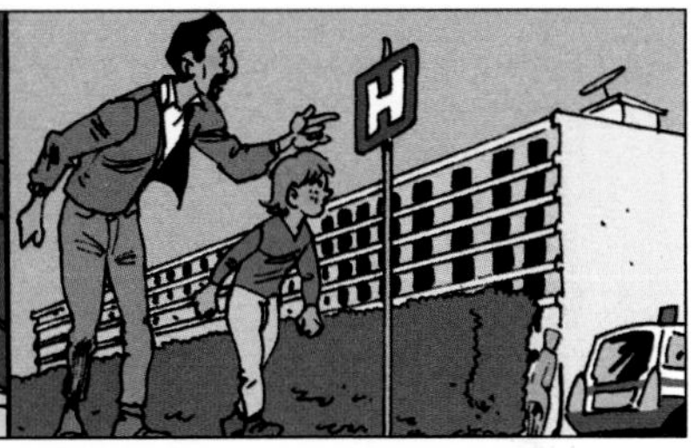

f

Dialogue 1 : Image : .... – Dialogue 2 : Image : .... – Dialogue 3 : Image : .... – Dialogue 4 : Image : .... –

Dialogue 5 : Image : ....

TOTAL

Comptez vos points

→ **VOUS AVEZ PLUS DE 20 POINTS :** BRAVO ! C'est très bien. Vous pouvez passer à l'unité suivante.

→ **VOUS AVEZ PLUS DE 13 POINTS :** C'est bien, mais écoutez une fois de plus le document, regardez encore vos erreurs, puis passez à l'unité suivante.

→ **VOUS AVEZ MOINS DE 13 POINTS :** Vous n'avez pas bien compris cette unité, reprenez-la complètement (avec les corrigés), puis recommencez l'auto-évaluation. Bon courage !

OBJECTIF FONCTIONNEL : Comprendre le quotidien.

GRAMMAIRE : Le présent des verbes pronominaux – La question sur l'objet avec « que », sur la personne avec « qui ».

LEXIQUE : Les activités de la journée – Quelques indications de temps – La fréquence – Au bureau – Le week-end.

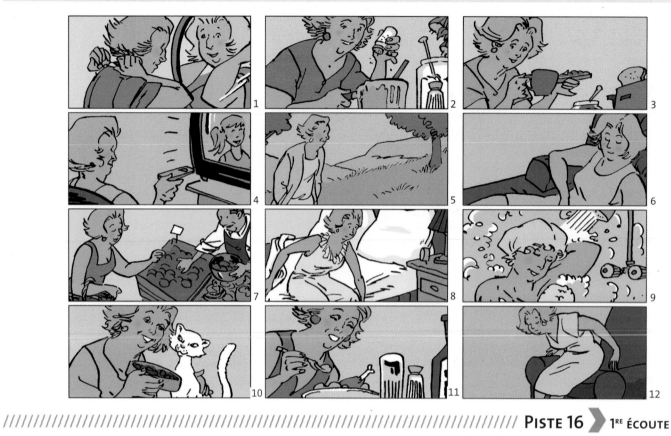

// PISTE 16 ❯ 1ʳᵉ ÉCOUTE

1. Remettez les images dans l'ordre.

Images n° ....

// PISTE 16 ❯ 2ᵉ ÉCOUTE

2. Choisissez vrai ou faux.

	Vrai	Faux
1. Mme Mignot se lève tard.	☐	☐
2. Elle prend son petit déjeuner très vite.	☐	☐
3. Elle a trois chats.	☐	☐
4. Elle ne va plus au bureau.	☐	☐
5. Elle déjeune à la maison.	☐	☐
6. Elle n'a pas d'amis.	☐	☐
7. Le matin elle s'assoit dans son fauteuil.	☐	☐
8. Elle regarde la télévision.	☐	☐

OUTILS

Le présent des verbes pronominaux (1)

FORME AFFIRMATIVE		FORME NÉGATIVE
S'HABILLER	**SE LAVER**	**SE LEVER**
Je **m'**habille	Je **me** lave	Je ne **me** lève pas
Tu **t'**habilles	Tu **te** laves	Tu ne **te** lèves pas
Il/elle/on **s'**habille	Il/elle/on **se** lave	Il/elle/on ne **se** lève pas
Nous **nous** habillons	Nous **nous** lavons	Nous ne **nous** levons pas
Vous **vous** habillez	Vous **vous** lavez	Vous ne **vous** levez pas
Ils/elles **s'**habillent	Ils/elles **se** lavent	Ils/elles ne **se** lèvent pas

La question sur quelque chose

	formel	standard	familier
Avec un pronom sujet	**Que** fais-tu ?	**Qu'est-ce que** tu fais ?	Tu fais **quoi** ?
Avec un nom sujet	**Qu'**écoute Thomas ?	**Qu'est-ce que** Thomas écoute ?	Thomas écoute **quoi** ?

Les activités de la journée

se réveiller, se lever, prendre son petit-déjeuner, se laver, se doucher, se maquiller, se raser, se préparer, s'habiller, faire des courses, s'occuper des enfants, déjeuner, se promener, dîner, se reposer, se coucher

Les indications de temps

le matin, l'après-midi, le soir, la nuit
se lever tôt
se coucher tard

Le matin, je me lève. Le soir, je me couche.
Je me lève à 6 heures du matin, je me lève tôt.
Je me couche à 2 heures du matin, je me couche tard.

// **PISTE 16** 〉 3^E ÉCOUTE

3. Qu'est-ce que vous entendez ?

1. ☐ a. Vous levez-vous tard ?
   ☐ b. Est-ce que vous vous levez tard ?
   ☐ c. Vous vous levez tard ?

2. ☐ a. Et, que faites-vous ?
   ☐ b. Et qu'est-ce que vous faites ?
   ☐ c. Et, vous faites quoi ?

3. ☐ a. Et à midi, où déjeunez-vous ?
   ☐ b. Et à midi, où est-ce que vous déjeunez ?
   ☐ c. Et à midi, vous déjeunez où ?

4. ☐ a. Et l'après-midi, que faites-vous ?
   ☐ b. Et l'après-midi, qu'est-ce que vous faites ?
   ☐ c. Et l'après-midi, vous faites quoi ?

5. ☐ a. Vous reposez-vous ?
   ☐ b. Est-ce que vous vous reposez ?
   ☐ c. Vous vous reposez ?

// **PISTE 16** 〉 4^E ÉCOUTE

4. Reliez les deux parties de la phrase que vous entendez.

1. Le matin,

2. Maintenant,

3. À midi,

4. L'après-midi,

5. Le soir,

a. où déjeunez-vous ?

b. vous faites quoi ?

c. je suis fatiguée.

d. je me lève tôt.

e. je ne me dépêche plus.

1

2

3

4

5

6

7

// **PISTE 17** 1ʳᵉ ÉCOUTE

5. Associez chaque dialogue à une image.

Dialogue 1 : ....   Dialogue 2 : ....   Dialogue 3 : ....   Dialogue 4 : ....

Dialogue 5 : ....   Dialogue 6 : ....   Dialogue 7 : ....

// **PISTE 17** 2ᴱ ÉCOUTE

6. Choisissez la proposition exacte.

Dialogue 1 :   ☐ a. Les deux personnes se connaissent.
             ☐ b. Les deux personnes sont des amis.
             ☐ c. Les deux personnes ne se connaissent pas.

Dialogue 2 :   ☐ a. M. Lebœuf parle à sa chef de service.
             ☐ b. M. Lebœuf parle à sa voisine.
             ☐ c. M. Lebœuf parle à sa collègue.

Dialogue 3 :   ☐ a. Mlle Langlois est absente.
             ☐ b. M. Langlois est absent.
             ☐ c. Mlle Pérault est absente.

Dialogue 4 :   ☐ a. La femme aime bien le stagiaire.
             ☐ b. La femme n'aime pas le stagiaire.
             ☐ c. La femme ne connait pas le stagiaire.

Dialogue 5 :   ☐ a. Mlle Rosier est postière.
             ☐ b. Mlle Rosier est caissière.
             ☐ c. Mlle Rosier est secrétaire.

Dialogue 6 :   ☐ a. Le mercredi, il ne déjeune pas.
             ☐ b. Le mercredi, il déjeune au restaurant.
             ☐ c. Le mercredi, il déjeune à la maison.

Dialogue 7 :   ☐ a. M. Marchand est libre à 10 heures.
             ☐ b. M. Marchand est libre à 14 heures.
             ☐ c. M. Marchand n'est pas libre aujourd'hui.

Le présent des verbes pronominaux (2)

S'ASSEOIR	SE SOUVENIR
Je m'assieds / je m'assois	Je me souviens ... **de** quelque chose
Tu t'assieds / tu t'assois	Tu te souviens
Il/ elle/ on s'assied / s'assoit	Il / elle/ on se souvient
Nous nous asseyons	Nous nous souvenons
Vous vous asseyez	Vous vous souvenez
Ils/ elles s'asseyent/ s'assoient	Ils/ elles se souviennent

La fréquence : rarement (+) – quelquefois/ de temps en temps (++) – souvent (+++) – toujours (++++)

La question avec « qui » = question sur la personne. On l'utilise seul ou avec une préposition.
– **Qui** regarde le film ?   – **Qui** tu regardes ?   – **À qui** tu parles ?   – **Chez qui** il habite ?
– Les enfants.   – Je regarde Laura.   – Je parle à mon ami.   – Chez son frère.

Au bureau
– *Les personnes* : le/ la standardiste, le / la secrétaire, le directeur/ la directrice, le/ la stagiaire, un/une employé/e, un/une collègue.
– *Le matériel* : un bureau, un dossier, un ordinateur, le courrier.
– *Les situations* : avoir rendez-vous avec qqn., avoir une réunion, être absent, être en retard ≠ être en avance, être à l'heure, être libre ≠ être occupé.

OUTILS

// PISTE 17 ❯ 3ᴱ ÉCOUTE

7. Complétez les phrases avec les indicateurs de fréquence que vous entendez.

1. ... je suis .... en avance.

2. ... vous êtes .... en retard.

3. Oui, ... elle va au tribunal ...

4. Le nouveau stagiaire s'assied ....
sur mon bureau.

5. Il est .... sur les dossiers.

6. ...., le mercredi, on va ...

7. Je suis .... en retard ...

// PISTE 17 ❯ 4ᴱ ÉCOUTE

8. Répondez aux questions.

1. Qui est la femme dans le dialogue n°1 ?
....

2. Avec qui l'homme travaille-t-il dans le dialogue n°2 ?
....

3. De qui les deux personnes parlent-elles dans le dialogue n°3 ?
....

4. Qui énerve la femme dans le dialogue n°4 ?
....

5. Qui cherche le courrier dans le dialogue n°5 ?
....

6. Avec qui Francis va-t-il au restaurant le mercredi dans le dialogue n°6 ?
....

7. Avec qui la femme a-t-elle rendez-vous dans le dialogue n°7 ?
....

/// **PISTE 18** 〉 1RE ÉCOUTE

9. Associez chaque personne à deux images.

L'homme :   ....

La femme : ....

/// **PISTE 18** 〉 2^E ÉCOUTE

10. Répondez aux questions.

1. De quoi parlent les deux personnes ?

....

2. La femme a-t-elle de bonnes relations avec ses collègues ?

....

3. Qu'est-ce qu'elle fait quelquefois le samedi avec ses collègues ?

....

4. Qu'est-ce qu'elle fait de temps en temps avec ses collègues et sa famille ?

....

5. L'homme a-t-il de bonnes relations avec ses collègues ?

....

6. Qu'est-ce qu'il aime faire le week-end ?

....

7. Et sa femme, qu'est-ce qu'elle fait le week-end ?

....

8. Où habitent les parents de l'homme ?

....

OUTILS

Les verbes pronominaux réciproques

Deux personnes se rencontrent = A rencontre B et B rencontre A

| ils se rencontrent | ils se regardent | ils se parlent | ils s'aiment | ils se téléphonent |

Autres verbes : se sourire, s'écrire, se quitter, se détester ...

La fréquence

Une / deux / trois **fois par** jour / **par** semaine / **par** mois / **par** an.
Tous les jours, **tous les** mois, **tous les** ans, **toutes les** semaines.

Le week-end

- Faire un pique-nique / pique-niquer, faire du jardinage / jardiner, faire du bricolage / bricoler.
  Faire une promenade / se promener, faire des courses, faire du sport...
- Visiter une ville / un musée ... rendre visite à quelqu'un.
- Aller à la montagne, à la campagne, à la mer, en ville.

// **PISTE 18** 3ᴱ ÉCOUTE

11. Complétez les phrases avec les indicateurs de fréquence que vous entendez.

1. .... le samedi soir ...

2. .... on fait un pique-nique ...

3. ... tu ne sors pas avec tes collègues ? Non, ...

4. ... on se rencontre .... le week-end.

5. Et .... on rend visite à mes parents.

// **PISTE 18** 4ᴱ ÉCOUTE

12. Complétez les phrases avec les verbes que vous entendez.

1. ... on mange au restaurant, on ....

2. C'est bien, on .... plus qu'au bureau.

3. On .... à la campagne.

4. On ne .... pas, mais ...

5. Nous, on .... bien, on .... et on .... souvent ...

6. Je .... des petites choses.

7. Et ta femme, elle .... aussi ?

8. ... on .... visite à mes parents.

OBJECTIF FONCTIONNEL : Saisir des différences de comportement, d'intention et d'aspect.

GRAMMAIRE : Le présent des verbes : *devoir, vouloir, pouvoir* – *Quelque chose, quelqu'un* – *Avant, pendant, après* – Les pronoms toniques – *Pourquoi ? parce que, pour* – Le présent des verbes en *-yer* – Place des adjectifs – Les adverbes de quantité.

LEXIQUE : La politesse – Inviter, accepter, refuser – La description d'un objet.

// **PISTE 19** ❯ 1ʳᴱ ÉCOUTE

1. Associez ces quatre fautes de politesse à quatre règles du document..

Image 1 : règle n° ....   Image 2 : règle n° ....   Image 3 : règle n° ....   Image 4 : règle n° ....

// **PISTE 19** ❯ 2ᴱ ÉCOUTE

2. Choisissez vrai ou faux.

	Vrai	Faux
1. Quand vous êtes invité chez des Français, vous devez apporter des gâteaux.	☐	☐
2. Vous devez vous excuser si vous n'arrivez pas à l'heure.	☐	☐
3. Quand on vous présente quelqu'un, vous dites « Salut ».	☐	☐
4. Les hommes doivent se lever pour dire bonjour aux dames.	☐	☐
5. Vous pouvez fumer à table quand vous voulez.	☐	☐
6. Quand vous avez faim, vous pouvez manger.	☐	☐
7. Vous ne pouvez pas dormir pendant la soirée.	☐	☐
8. Vous devez dire merci à la fin de la soirée.	☐	☐

// **PISTE 19** ❯ 3ᴱ ÉCOUTE

3. Barrez les phrases inexactes.

1. Quand vous êtes invité chez des Français...

2. Si vous êtes en retard...

3. Quand on vous présente une femme...

4. Si vous êtes un homme...

5. Si vous devez fumer ...

6. Pendant le dîner...

7. Après le dîner...

8. Enfin, quand vous partez...

Le présent

VOULOIR	POUVOIR	DEVOIR
Je veux Tu veux Il/elle/on veut Nous voulons Vous voulez Ils/elles veulent	Je peux Tu peux Il/elle/on peut Nous pouvons Vous pouvez Ils/elles peuvent	Je dois Tu dois Il/elle/on doit Nous devons Vous devez Ils/elles doivent
vouloir + verbe à l'infinitif *Vous voulez manger.* *Vous **ne** voulez **pas** manger.* *Vous voulez **vous** laver.* *Vous **ne** voulez pas **vous** laver.* ***vouloir + nom*** *Il veut un café.*	***pouvoir + verbe à l'infinitif*** *Nous pouvons sortir.* *Nous **ne** pouvons **pas** sortir.* *Nous pouvons **nous** lever.* *Nous **ne** pouvons **pas** nous lever.*	***devoir + verbe à l'infinitif*** *Tu dois travailler.* *Tu **ne** dois **pas** travailler.* *Tu dois **te** promener.* *Tu **ne** dois **pas te** promener.*

Quelque chose – quelqu'un

Je regarde quelque chose (une chose = un livre, une maison, une voiture, la mer...)
Je connais quelqu'un (une personne = un homme, une femme, un enfant, mon frère...)

Avant – pendant – après

le dîner

avant le dîner   pendant le dîner   après le dîner

La politesse

Il/elle est poli/e – il/elle est impoli/e

– Bonjour madame, enchanté – Bonjour monsieur, enchantée	– Je vous remercie / Merci beaucoup – Je vous en prie / De rien	– Pardon/Excusez-moi, je suis désolé(e) – Je vous en prie / Ce n'est rien

OUTILS

 **PISTE 19** ▶ **4ᴱ ÉCOUTE**

4. Choisissez les verbes que vous entendez.

1. ... vous *voulez / devez / pouvez* apporter quelque chose.

2. Vous *voulez / devez / pouvez* offrir des fleurs ...

3. ... vous *voulez / devez / pouvez* vous excuser ...

4. Quand on vous présente quelqu'un, vous *voulez / devez / pouvez* dire bonjour ...

5. Si vous êtes un homme, vous *voulez / devez / pouvez* vous lever ...

6. Vous ne *voulez / devez / pouvez* pas fumer ...

7. Si vous *voulez / devez / pouvez* fumer, vous *voulez / devez / pouvez* sortir ...

8. Vous ne *voulez / devez / pouvez* pas commencer à manger ...

9. ... vous ne *voulez / devez / pouvez* pas dormir ...

10. ... quand vous *voulez / devez / pouvez* partir, vous *voulez / devez / pouvez* remercier ...

// **PISTE 20** ❯ 1ᴿᴱ ÉCOUTE

5. Associez un dialogue à une image.

Dialogue 1 : n° ....   Dialogue 2 : n° ....   Dialogue 3 : n° ....   Dialogue 4 : n° ....

// **PISTE 20** ❯ 2ᴱ ÉCOUTE

6. Qui accepte et qui refuse l'invitation ? Que disent-ils pour accepter ou refuser ?

	Accepte l'invitation	Refuse l'invitation	Comment ?
Julie			
Paul			
Gaëlle			
Lucas			

// **PISTE 20** ❯ 3ᴱ ÉCOUTE

7. Choisissez la phrase correcte.

1. Claire   ☐ a. veut inviter ses amis pour son anniversaire.
                     ☐ b. veut aller chez ses amis pour son anniversaire.

2. Julie   ☐ a. veut aller à la fête avec son mari.
                     ☐ b. veut aller à la fête avec ses filles.

3. Paul   ☐ a. doit dîner chez ses parents samedi soir.
                     ☐ b. doit dîner chez sa sœur samedi soir.

4. Gaëlle   ☐ a. ne veut pas venir.
                     ☐ b. ne peut pas venir.

5. Lucas   ☐ a. va regarder la télévision samedi.
                     ☐ b. va faire la fête samedi.

Les pronoms toniques

On utilise les pronoms toniques après les prépositions.

Rosie joue <u>avec</u> **moi**. Rosie joue <u>avec</u> **toi**. Rosie joue <u>avec</u> **lui**. Rosie joue <u>avec</u> **elle**.	Rosie joue <u>avec</u> **nous**. Rosie joue <u>avec</u> **vous**. Rosie joue <u>avec</u> **eux**. Rosie joue <u>avec</u> **elles**.	Il habite <u>chez</u> **moi**. Elle s'occupe <u>de</u> **lui**. Vous pensez <u>à</u> **lui**. Il travaille <u>pour</u> **elle**.

Pourquoi ?

Pourquoi tu restes au bureau ?
- **Parce que** j'ai du travail (cause)
  Parce que + phrase
- **Pour** finir mon travail (but)
  Pour + verbe à l'infinitif

INVITER	ACCEPTER	REFUSER
Vous voulez venir avec moi ? Vous pouvez venir chez moi ? Je vous invite au restaurant.	D'accord. Pourquoi pas ? Avec plaisir. Volontiers.	Je suis désolé/e, mais je ne suis pas libre. Je regrette, mais je ne peux pas. Excusez-moi, je suis occupé/e.

OUTILS

// **PISTE 20** ❭ 4ᴱ ÉCOUTE 💿

8. Cause ou but ? Dans chaque dialogue, choisissez ce que la réponse à la question «pourquoi» exprime. Notez la cause ou le but que vous entendez.

	Cause	But	Que disent-ils ?
Dialogue 1			
Dialogue 2			
Dialogue 3			
Dialogue 4			

// **PISTE 20** ❭ 5ᴱ ÉCOUTE 💿

9. Complétez les phrases avec les prépositions et les pronoms toniques que vous entendez.

1. ... tu peux venir .... samedi soir ?

2. Tu peux venir .... et avec tes filles aussi !

3. ... ce samedi, je dîne .... avec ma sœur.

4. ... je dois dormir ....

5. Je dois rester ....

6. ... il ne peut pas s'occuper .... ?

7. Je suis toujours content de faire la fête ....

8. Et, si ton frère est libre, tu peux venir ....

10. Choisissez une image qui correspond à la situation.

Image n° ......

11. Répondez aux questions.

1. À qui s'adresse l'homme au début ? ....

2. Qu'est-ce qu'il veut vendre à la dame ? ....

3. Pourquoi doit-elle acheter une valise ? ....

4. Qu'est-ce qu'il donne à la dame ? ....

5. Combien la dame doit-elle payer ? ....

6. À qui veut-il vendre autre chose ? ....

7. Qu'est-ce qu'il vend à la deuxième personne ? ....

8. Qu'est-ce qu'il donne à la deuxième personne ? ....

9. Combien la deuxième personne doit-elle payer ? ....

Le présent des verbes en -yer

ESSAYER	
J'ess**aie** Tu ess**aies** Il/elle/on ess**aie** Nous ess**ayons** Vous ess**ayez** Ils/elles ess**aient**	*Autres verbes* *payer – balayer* → *je paie – je balaie* *nettoyer – envoyer* → *je nettoie – j'envoie* *essuyer – s'ennuyer* → *j'essuie – je m'ennuie*
Essayer + nom : *Il essaie un pantalon.*	
Essayer de + verbe à l'infinitif : *Il essaie **de** faire la cuisine.*	

Préciser le sens de l'adjectif

Mon ami, il est **un peu** fatigué, il est **assez** fatigué, il est **très** fatigué, il est **trop** fatigué.

Parler d'un objet

Il/elle peut être grand(e) ≠ petit(e), lourd(e) ≠ léger (légère), utile ≠ inutile, cher (chère) ≠ bon marché, gratuit(e), neuf (neuve) ≠ d'occasion, fragile ≠ solide, joli(e) ≠ laid(e), pratique, efficace.

Attention : Les adjectifs : **grand**, **petit**, **beau** *et* **joli** *se placent généralement devant le nom.* → *Un grand sac. Une jolie valise.*

Les autres adjectifs se placent généralement après le nom. → *Un livre bon marché. Une table neuve.*

Les matières

Il est **en** cuir, **en** plastique, **en** verre, **en** papier, **en** métal, **en** tissu.

OUTILS

/// **PISTE 21** 〉 **3ᴇ ÉCOUTE**

12. Complétez les phrases.

1. Vous .... en voyage ?

2. Le .... madame ...

3. ... pour partir .... en voyage avec .... mari et .... quatre enfants.

4. Alors, vous .... aussi la valise !

5. Alors madame, vous .... mon sac à dos ?

6. Très bien, vous .... le sac et ...

7. ... et vous .... ce magnifique stylo ...

8. ... pour .... des cartes postales à vos amis !

/// **PISTE 21** 〉 **4ᴇ ÉCOUTE**

13. Écrivez le nom des cinq objets et leurs caractéristiques.

	Caractéristiques
1ᵉʳ objet	Il / elle est ....
2ᵉ objet	Il / elle est ....
3ᵉ objet	Il / elle est ....
4ᵉ objet	Il / elle est ....
5ᵉ objet	Il / elle est ....

OBJECTIF FONCTIONNEL : Comprendre des consignes, des opinions.

GRAMMAIRE : L'impératif affirmatif et négatif – La quantité avec le verbe et avec le nom – Le présent du verbe boire.

LEXIQUE : La forme, le sport – Les mouvements – Le corps, la maladie – Donner des conseils – Donner son avis : *penser, croire* – Conseiller.

// **PISTE 22** 〉 1ᴿᴱ ÉCOUTE

1. Léa donne des conseils à son amie. Regardez les images et classez-les.

Qu'est-ce qu'elle doit faire ?

n° : ....

Qu'est-ce qu'elle ne doit pas faire ?

n° : ....

// **PISTE 22** 〉 2ᴱ ÉCOUTE

2. Choisissez la proposition exacte.

1. ☐ a. Les deux femmes sont des amies.　　☐ b. Les deux femmes ne se connaissent pas bien.

2. ☐ a. Une femme veut maigrir.　　☐ b. Les deux femmes veulent maigrir.

3. ☐ a. Les deux femmes se donnent des conseils.　　☐ b. Une femme donne des conseils à l'autre femme.

4. ☐ a. Une femme a des problèmes.　　☐ b. Les deux femmes ont des problèmes.

5. ☐ a. Léa est fatiguée.　　☐ b. L'autre femme est fatiguée.

Le présent
L'impératif affirmatif et négatif – Le présent du verbe boire

L'IMPÉRATIF	L'IMPÉRATIF NÉGATIF	LE VERBE BOIRE	
VERBES EN -ER		**PRÉSENT**	**IMPÉRATIF**
Parle ! Parlons ! Parlez ! *Autres verbes :* *Attention* Sors ! Va ! vas Sortons ! Allons ! Sortez ! Allez !	**Ne** chante **pas** ! **Ne** chantons **pas** ! **Ne** chantez **pas** ! **Ne** sors **pas** ! **Ne** sortons **pas** ! **Ne** sortez **pas** !	Je bois Tu bois Il/elle/on boit Nous buvons Vous buvez Ils/elles boivent *Le verbe* **manger** Nous mang**e**ons	Bois ! Buvons ! Buvez
On utilise l'impératif pour donner un ordre ou un conseil.		*Autres verbes : voyager, nager …* *Nous voyag**e**ons, nous nag**e**ons*	

Préciser le sens du verbe
Béatrice mange **peu**, elle court **un peu**, elle dort **assez**, elle boit **beaucoup**, elle parle **trop**.

La forme
Manger, boire – Grossir (je grossis – nous grossissons) – Maigrir (je maigris – nous maigrissons)
Faire de l'exercice – Être en forme – Se coucher tôt/tard – Aller au lit = se coucher

/// **PISTE 22** ❭ 3ᴱ ÉCOUTE

3. Qu'est-ce que vous entendez ?

1. ☐ a. Je suis fatiguée, on arrête ?   ☐ b. Je suis fatiguée, on s'arrête ?

2. ☐ a. Comment tu fais pour être en forme ?   ☐ b. Qu'est-ce que tu fais pour être en forme ?

3. ☐ a. Je me couche tôt.   ☐ b. Je me couche tard.

4. ☐ a. J'ai toujours faim.   ☐ b. J'ai faim tous les jours.

5. ☐ a. Et puis j'aime bien les gâteaux.   ☐ b. Et puis j'adore les gâteaux.

6. ☐ a. Qu'est-ce que je veux boire ?   ☐ b. Qu'est-ce que je peux boire ?

7. ☐ a. Je préfère être grosse.   ☐ b. Je préfère rester grosse.

/// **PISTE 22** ❭ 4ᴱ ÉCOUTE

4. Associez les verbes aux expressions de quantité : un peu assez, beaucoup, trop.

1. Je mange ....
2. Je ne mange pas ....
3. Je voudrais maigrir ....
4. Cours ....
5. Bois ....
6. Ne sors pas ....

/// **PISTE 22** ❭ 5ᴱ ÉCOUTE

5. Mettez une croix chaque fois que vous entendez ces verbes à l'impératif affirmatif ou négatif.

	Faire	Courir	Nager	Aller	Boire	Manger	Rentrer	Regarder	Acheter	Sortir
Impératif affirmatif										
Impératif négatif										

/// PISTE 23 ❯ 1ʳᵉ ÉCOUTE

6. Quelles images correspondent au dialogue ? Remettez-les dans l'ordre.

Images n°...

/// PISTE 23 ❯ 2ᵉ ÉCOUTE

7. Dans quelles images sont Françoise, Robert et Marie ?

Françoise : n° ....   Robert : n° ....   Marie : n° ....

/// PISTE 23 ❯ 3ᵉ ÉCOUTE

8. Choisissez vrai ou faux.

	Vrai	Faux
1. Au début du cours, les personnes sont assises.	☐	☐
2. Françoise s'arrête de courir.	☐	☐
3. Robert n'aime pas manger.	☐	☐
4. Marie n'a pas de problème.	☐	☐
5. Suzanne ne peut pas toucher ses pieds.	☐	☐
6. Suzanne n'est pas grosse.	☐	☐
7. À la fin du cours, Robert est content.	☐	☐
8. À la fin du cours, ils peuvent dormir.	☐	☐

OUTILS

L'impératif des verbes pronominaux

SE LEVER		S'ASSEOIR
Affirmatif	*Négatif*	*Affirmatif*
Lève-**toi** !	Ne **te** lève pas !	Assieds-**toi** !
Levons-**nous** !	Ne **nous** levons pas !	Asseyons-nous !
Levez-**vous** !	Ne **vous** levez pas !	Asseyez-vous !
*Le pronom est **derrière** le verbe.*	*Le pronom est **devant** le verbe.*	

Le corps
- La tête, les yeux, le nez, la bouche, les oreilles, le cou.
- Les épaules, la poitrine, l'estomac, le ventre, les bras, les mains, les jambes, les pieds.
- Respirer – Se relaxer.

Les mouvements
Se lever – Se coucher – S'asseoir.
Lever les bras – Baisser les bras – Tourner la tête – Toucher ses pieds – Garder les jambes droites.

La douleur
J'ai mal à + nom
J'ai mal à la tête, à l'oreille, au dos, aux yeux.

/// **PISTE 23** ❯ 4ᴱ ÉCOUTE

9. Soulignez les mots que vous entendez (les parties du corps).

Les pieds	la bouche	le ventre	la tête	le dos	la poitrine	les jambes
Les yeux	les bras	les épaules	les genoux	le cou	les mains	le nez

/// **PISTE 23** ❯ 5ᴱ ÉCOUTE

10. Écrivez les impératifs pronominaux que vous entendez.

1. ....
2. ....
3. ....
4. ....
5. ....
6. ....

/// **PISTE 23** ❯ 6ᴱ ÉCOUTE

11. Répondez aux questions.

1. Pourquoi Françoise ne peut-elle pas courir ? ....
2. Qu'est-ce que Robert ne peut pas faire ? ....
3. Pourquoi Marie ne peut-elle pas tourner la tête ? ....
4. Qu'est-ce que Suzanne fait bien ? ....
5. Sur quoi se couchent-ils à la fin du cours ? ....
6. Qu'est-ce qu'ils doivent faire pour se relaxer ? ....

1   2   3

// **PISTE 24** ❯ **1ʳᵉ ÉCOUTE**

12. Associez le dialogue à une image.

Image n° ....

13. Dans les deux autres images, où l'homme a-t-il mal ?

Image n° .... Il a mal ....

Image n° .... Il a mal ....

// **PISTE 24** ❯ **2ᵉ ÉCOUTE**

14. Choisissez les propositions exactes ou répondez aux questions.

1. Où est monsieur Lemaire ? ....

2. Il a mal   ☐ à la tête.   ☐ à la gorge.   ☐ aux oreilles.

3. Quels autres problèmes a-t-il ? ....

4. Il a de la fièvre.   ☐ c'est sûr.   ☐ ce n'est pas sûr.   ☐ c'est faux.

5. Quelle maladie a-t-il ? ....

6. Qu'est-ce que monsieur Lemaire doit faire pendant deux ou trois jours ? ....

7. Pourquoi pense-t-il que ce n'est pas facile ? ....

8. Le médecin lui donne une ordonnance   ☐ pour qu'il se repose.   ☐ pour qu'il arrête de travailler.

☐ pour qu'il achète des médicaments.

9. Quand doit-il prendre ces médicaments ? ....

10. À qui monsieur Lemaire paie-t-il sa visite ? ....

11. Est-ce que c'est la première visite de monsieur Lemaire chez ce médecin ? ....

La quantité avec un nom

Comptables : 1, 2, 3 … J'ai **peu d'**amis/J'ai **quelques** amis/J'ai **assez d'**amis/J'ai **beaucoup d'**amis/J'ai **trop d'**amis.

Non comptables : J'ai **peu de** travail/J'ai **un peu de** travail / J'ai **assez de** travail / J'ai **beaucoup de** travail / J'ai **trop de** travail.

Donner un conseil

*Je vous/te conseille **de** + verbe à l'infinitif – Vous devez/tu dois + verbe à l'infinitif – Verbe à l'impératif.*
Je vous conseille de faire du sport – Vous devez faire du sport – Faites du sport !
Je vous conseille de **vous** reposer – Vous devez **vous** reposer – Reposez-**vous** !

Donner son avis

*Je pense **que** + une phrase*   *Je crois **que** + une phrase*
Je pense que je suis malade.   Je crois que vous êtes fatigué.

La maladie

Être malade – Être en bonne santé.
Avoir de la fièvre (39°) – Avoir une angine, un rhume, la grippe – Tousser – C'est grave – Ce n'est pas grave.
Le médecin fait une ordonnance – Le malade prend des médicaments.
Pour demander à quelqu'un quel est son problème : « Qu'est-ce qui se passe ? » – « Qu'est-ce qui vous (t') arrive ? » – « Qu'est-ce qui ne va pas ? »

/// **PISTE 24** 〉 3ᴱ ÉCOUTE

15. Quelles indications de quantité entendez-vous ?

verbe + quantité	quantité + nom
1. Je tousse	1. .... fièvre.
2. Vous devez vous reposer	2. .... travail.
	3. .... jours.
	4. .... médicaments .

/// **PISTE 24** 〉 4ᴱ ÉCOUTE

16. Pendant la visite, le médecin donne des ordres et des conseils à monsieur Lemaire. Notez les verbes à l'impératif et les autres constructions utilisées.

1. Bonjour monsieur Lemaire, ...

2. .... la bouche.

3. .... AAA.

4. Oui, c'est bien, ...

5. Je vous ....rester au lit deux ou trois jours.

6. Vous .... vous reposer un peu.

7. .... trois comprimés le matin ...

8. .... vite à la maison

9. et ....

Bilan

DELF A2

25 POINTS

Écoutez les documents. Cochez les propositions exactes ou répondez aux questions.

/// **Piste 25**

Document 1 (2 écoutes)   5 POINTS

1. Qu'est-ce que les enfants veulent faire ce soir ?   1 POINT

1 ☐   2 ☐   3 ☐   4 ☐

2. Où vont-ils aller demain matin ?   2 POINTS

....

3. Ils vont chez tante Clara   1 POINT

☐ une fois par semaine.   ☐ très souvent.   ☐ quelquefois.

4. Où voudraient-ils aller ?   1 POINT

1 ☐   2 ☐   3 ☐   4 ☐

/// **Piste 26**

Document 2 (2 écoutes)   6 POINTS

1. Clément téléphone à Chloé   ☐ pour prendre de ses nouvelles.   1 POINT
                                     ☐ pour l'inviter au cinéma.
                                     ☐ pour avoir des nouvelles de Manon.

2. Ce soir, Chloé préfère   ☐ aller chez Manon.   1 POINT
                                     ☐ rester à la maison.
                                     ☐ sortir avec Manon et Clément.

3. À quelle heure ont-ils rendez-vous ?   2 POINTS

....

4. Où ont-ils rendez-vous ?   2 POINTS

....

// **Piste 27**

Document 3 (2 écoutes)   6 POINTS

1. Que fait la nouvelle Miss France ?   1 POINT

1 ☐   2 ☐   3 ☐   4 ☐

2. Que fait-elle pendant la journée ?   2 POINTS

....

3. Elle sort beaucoup le soir.   ☐ vrai   ☐ faux   1 POINT
Pourquoi ? ....   1 POINT

4. Le week-end, généralement   1 POINT
☐ elle sort avec ses amis. ☐ elle travaille à la maison. ☐ elle téléphone à sa famille.

// **Piste 28**

Document 4 (2 écoutes)   8 POINTS

1. Jean-Marc Duval donne des conseils   1 POINT
☐ pour le week-end.   ☐ pour être en forme.   ☐ pour visiter Pézénas.

2. À quelle heure commence le rendez-vous sportif de Pézénas ?   2 POINTS

....

3. Jean-Marc propose de manger au restaurant,   1 POINT
☐ le samedi midi.   ☐ le samedi soir.   ☐ le dimanche midi.

4. Quel conseil Jean-Marc Duval donne-t-il pour le dimanche matin ?   2 POINTS

....

5. Quand conseille-t-il d'aller au cinéma pour voir « Le monde de la mer » ?   2 POINTS

....

TOTAL

Comptez
vos points

→ **Vous avez plus de 20 points :** BRAVO ! C'est très bien. Vous pouvez passer
à l'unité suivante.
→ **Vous avez plus de 13 points :** C'est bien, mais écoutez une fois de plus
le document, regardez encore vos erreurs, puis passez à l'unité suivante.
→ **Vous avez moins de 13 points :** Vous n'avez pas bien compris cette unité,
reprenez-la complètement (avec les corrigés), puis recommencez l'auto-évaluation.
Bon courage !

OBJECTIF FONCTIONNEL : Décrire son lieu de vie.

GRAMMAIRE : Les pronoms COD – La place du pronom – *Je voudrais* – *Il faut* – *Oui, si.*

LEXIQUE : Les logements : qualités et défauts – Description – Situation – Louer ou acheter.

// **PISTE 29** 1RE ÉCOUTE

1. Associez chaque personne à son logement.

Nathalie : n° ....   Carole : n° ....   Marion : n° ....

// **PISTE 29** 2^E ÉCOUTE

2. Choisissez vrai, faux ou on « ne sait pas ».

		Vrai	Faux	?
1.	Carole connait l'appartement de Nathalie.	☐	☐	☐
2.	Nathalie invite Marion quelquefois.	☐	☐	☐
3.	Nathalie a deux chambres.	☐	☐	☐
4.	Carole veut déménager.	☐	☐	☐
5.	Nathalie connait l'appartement de Carole.	☐	☐	☐
6.	Carole a un petit ami.	☐	☐	☐
7.	Carole voudrait vivre avec Marion.	☐	☐	☐
8.	Marion habite avec deux copines.	☐	☐	☐
9.	Marion est musicienne.	☐	☐	☐
10.	Marion ne voit pas souvent ses copains.	☐	☐	☐

Les pronoms compléments d'objet direct (COD)

*Les pronoms COD remplacent **quelque chose** ou **quelqu'un***
On peut regarder ou écouter **quelque chose** ou **quelqu'un**.

Marc **me** regarde, il **m'**écoute.
Marc **te** regarde, il **t'**écoute.
Marc **le** regarde, il **l'**écoute (le film / mon frère / le professeur).
Marc **la** regarde, il **l'**écoute (la télévision / ta radio / ma sœur).
Marc **nous** regarde.
Marc **vous** regarde.
Marc **les** regarde (les livres / nos chats / les enfants).

Marc ne **me** regarde pas.
Marc ne **te** regarde pas.
Marc ne **le** regarde pas.
Marc ne **la** regarde pas.
Marc ne **nous** regarde pas.
Marc ne **vous** regarde pas.
Marc ne **les** regarde pas.

Autres verbes : connaître, rencontrer, aimer, comprendre, voir, avoir ...
Quelques verbes s'utilisent toujours avec **quelque chose** : manger, boire ...

Je voudrais (vouloir)

Je voudrais + nom
Je voudrais une maison, un jardin.

Je voudrais + verbe à l'infinitif
Je voudrais habiter à Bruxelles.

Le logement

Dans un immeuble : un studio, un appartement (un **F1** : **une** pièce + une cuisine, une salle de bains, des toilettes). Un F2, un F3 ...
Une maison, un garage, un jardin, une piscine.
Les pièces : l'entrée, la chambre, le salon, la salle à manger, la cuisine, la salle de bains, les toilettes.
Déménager = changer de logement.

// **PISTE 29** ❯ 3ᴱ ÉCOUTE

3. Complétez avec les pronoms que vous entendez.

1. Oui, je .... connais, elle .... invite quelquefois.

2. Non, je ne .... connais pas.

3. Oui, c'est vrai mais je .... aime bien...

4. Oui, je .... comprends Carole.

5. Et les copains, tu .... vois beaucoup ?

6. Non, pas trop, mais je .... entends...

// **PISTE 29** ❯ 4ᴱ ÉCOUTE

4. Dans les phrases de l'exercice 3, que remplacent les pronoms COD ?

Phrase n° 1 : le
Phrase n° 2 : m'
Phrase n° 3 : l'
Phrase n° 4 : te
Phrase n° 5 : les
Phrase n° 6 : les

a. les copains
b. Marion
c. les copains
d. mon studio
e. l'appartement de Nathalie
f. Carole

// **PISTE 29** ❯ 5ᴱ ÉCOUTE

5. Qu'est-ce que vous entendez après « je voudrais » ? Cochez les bonnes réponses.

Je voudrais
☐ voir ton appartement.
☐ déménager.
☐ un studio.
☐ un F1.

Je voudrais
☐ visiter un appartement.
☐ vivre avec Julien.
☐ un grand salon.
☐ un grand jardin.

// **PISTE 30** ❯ 1ᴿᴱ ÉCOUTE

6. Associez une image au dialogue.

Image n° ....

// **PISTE 30** ❯ 2ᴱ ÉCOUTE

7. Choisissez la proposition exacte.

1. Les deux personnes sont ...

☐ a. des amis. ☐ b. un couple. ☐ c. un client et une employée.

2. L'homme part en vacances ...

☐ a. seul. ☐ b. avec des amis. ☐ c. avec sa famille.

3. L'homme va en vacances ...

☐ a. chez des amis américains. ☐ b. avec des amis américains. ☐ c. chez des Américains qu'il ne connait pas.

4. L'homme habite ...

☐ a. dans un studio. ☐ b. dans un appartement. ☐ c. dans une maison.

5. L'homme ...

☐ a. a des photos de l'appartement. ☐ b. n'a pas de photos. ☐ c. a perdu les photos.

6. La femme ...

☐ a. aime ce style de vacances. ☐ b. n'aime pas ce style de vacances ☐ c. propose un autre style de vacances.

IL FAUT + NOM	Il faut + verbe à l'infinitif
Il faut une maison.	Il faut trouver une maison.
Il faut un appartement.	Il faut avoir un appartement.
Il faut des vacances.	Il faut prendre des vacances.

Oui, si, non

Est-ce que tu as les clés ?– Oui, je les ai. Non, je ne les ai pas.
Tu n'as pas les clés ?   – Si, je les ai. Non, je ne les ai pas.

Description d'un logement

grand/petit, calme/bruyant, clair/sombre, moderne/ancien, agréable, confortable.

Situation d'un logement

en ville, au centre-ville, dans un quartier calme, en banlieue, dans un village, à la mer, à la campagne, à la montagne.

// PISTE 30 ❯ 3ᴱ ÉCOUTE

8. Complétez les phrases.

1. Il faut .... un peu.

2. Qu'est-ce qu'il faut .... pour ça ?

3. Il faut .... une jolie maison ou un bel appartement et il faut .... sur Internet.

4. Comment il faut .... pour avoir des informations ?

5. Il faut .... ?

6. Il faut .... ?

// PISTE 30 ❯ 4ᴱ ÉCOUTE

9. Choisissez la bonne réponse ou répondez aux questions.

1. Quand l'homme part-il en vacances ?
   ☐ en juin   ☐ en juillet

2. Combien de temps l'homme va-t-il rester à New York ?
   ☐ 2 semaines   ☐ 3 semaines   ☐ 4 semaines

3. Comment sont les hôtels à New York ?
   ....

4. Où les Américains vont-ils habiter ?
   ☐ dans la maison de l'homme   ☐ dans une maison de location   ☐ dans la maison de leurs amis

5. Comment est l'appartement de New York ? Cochez les bonnes réponses.
   ☐ grand   ☐ petit   ☐ ancien   ☐ confortable
   ☐ clair   ☐ sombre   ☐ calme   ☐ bruyant

6. À quel étage se trouve l'appartement ?
   ☐ au premier étage   ☐ au dernier étage

7. Où est situé l'appartement ?
   ....

// **PISTE 31** ❯ 1ᴿᴱ ÉCOUTE

10. Associez une image au dialogue.

Image n° ....

// **PISTE 31** ❯ 2ᴱ ÉCOUTE

11. Répondez aux questions.

1. Que cherche la femme ?

....

2. Où préfère-t-elle habiter ?

....

3. Quand veut-elle visiter l'appartement ?

....

4. Quand est-ce possible de le visiter ?

....

5. La femme est-elle intéressée par le deuxième appartement ?

....

6. Que dit-elle?

☐ C'est pas mal.   ☐ C'est pas loin.   ☐ C'est pas bien.

7. Pourquoi est-ce impossible de le visiter ?

....

8. La femme aime-t-elle le troisième appartement ?

....

9. Quand l'homme propose-t-il de le visiter ?

....

La place du pronom complément

- Tu <u>visites</u> la maison ? Je **la** <u>visite</u>. Le pronom est **devant** le verbe.
- Quand il y a **deux verbes**, le pronom est **entre** les deux verbes.

Tu <u>veux</u> <u>visiter</u> la maison ? Je <u>veux</u> **la** <u>visiter</u>.

Il doit nettoyer le salon ? Il doit **le** nettoyer.

Vous pouvez prendre les clés ? Je peux **les** prendre.

Elle aime ouvrir les fenêtres ? Elle aime **les** ouvrir.

Autres verbes + verbe à l'infinitif : *savoir, préférer, adorer, désirer, détester...*
*Je sais **le** faire. / Il préfère **l'**inviter. / Tu adores **les** manger. / Elle désire **la** rencontrer. / Je déteste **la** regarder.*

Louer ou acheter un logement

Louer, la location, payer un loyer, être locataire / Acheter, être propriétaire / Avoir des voisins.
Habiter au rez-de-chaussée, au premier étage. Prendre l'escalier, l'ascenseur.
Les fenêtres **donnent sur** la place. (= On peut voir la place par la fenêtre.)

OUTILS

// **PISTE 31** ⟩ 3ᴱ ÉCOUTE

12. Complétez les phrases avec le verbe et le pronom que vous entendez.

1. Parfait, je .... visiter aujourd'hui, c'est possible ?

2. Impossible, l'ancien locataire .... nettoyer.

3. Vous .... visiter vendredi.

4. C'est pas mal, je .... voir ?

5. Nous .... visiter maintenant.

// **PISTE 31** ⟩ 4ᴱ ÉCOUTE

13. Écrivez toutes les informations sur les trois appartements.

	A Type d'appartement	B Situation	C Étage	D Points positifs	E Points négatifs
n° 1					
n° 2					
n° 3					

// **PISTE 31** ⟩ 5ᴱ ÉCOUTE

14. Quelle phrase entendez-vous ?

1. ☐ a. Je cherche un grand appartement en location.   ☐ b. Je cherche un grand appartement à louer.

2. ☐ a. Au centre-ville, mais dans une rue calme.   ☐ b. Au centre-ville, mais dans un quartier calme.

3. ☐ a. Toutes les fenêtres donnent sur la place.   ☐ b. Toutes les portes donnent sur la place.

4. ☐ a. Le propriétaire n'est pas là.   ☐ b. Le propriétaire est absent.

5. ☐ a. Il est libre et j'ai les clés.   ☐ b. Il est vide et j'ai les clés.

OBJECTIFS FONCTIONNELS : Appréhender l'espace – Distinguer présent et futur.

GRAMMAIRE : Les pronoms COI – Le futur proche / Le présent des verbes en *-indre* – Les prépositions de lieu.

LEXIQUE : Les meubles et accessoires de la maison – Les activités domestiques – Donner son avis.

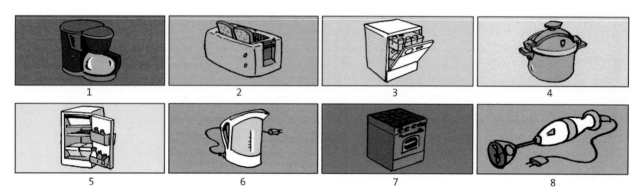

// **PISTE 32** ❯ **1ʳᵉ ÉCOUTE**

1. De quels objets parle-t-on dans le dialogue ? Notez les numéros.

Images n° : ....

// **PISTE 32** ❯ **2ᴱ ÉCOUTE**

2. Choisissez la bonne réponse.

1. Où se passe la scène ?
- ☐ a. Dans un restaurant.
- ☐ b. Dans un appartement.
- ☐ c. Dans un magasin de cuisines.

2. Que fait l'homme ?
- ☐ a. Il visite la cuisine d'un restaurant.
- ☐ b. Il montre sa cuisine à ses deux amies.
- ☐ c. Il fait visiter la cuisine d'un appartement.

3. Que pensent les deux femmes ?
- ☐ a. Les deux femmes aiment la cuisine.
- ☐ b. Les deux femmes n'aiment pas la cuisine.
- ☐ c. L'une des femmes aime la cuisine, l'autre pas.

4. Pourquoi la cuisine est-elle pratique ?
- ☐ a. Parce qu'il y a un lave-vaisselle.
- ☐ b. Parce qu'il y a une cafetière et un grille-pain.
- ☐ c. Parce qu'il y a de la place pour mettre des objets.

5. À qui la femme téléphone-t-elle ?
- ☐ a. À sa fille.
- ☐ b. À son mari.
- ☐ c. À une amie.

6. Qu'est-ce que la femme va envoyer ?
- ☐ a. La photo de la cuisine.
- ☐ b. Le numéro de l'agence.
- ☐ c. L'adresse de l'appartement.

7. Que dit son amie sur le mari de la femme ?
- ☐ a. Il est pâtissier.
- ☐ b. Il est cuisinier.
- ☐ c. Il est boulanger.

Les pronoms compléments d'objet indirect (COI)

*Les pronoms COI remplacent **à quelqu'un***

On peut parler **à quelqu'un**.
Élodie **me** parle, Élodie ne **me** parle pas.
Élodie **te** parle.
Élodie **lui** parle (à son père, à sa mère).
Élodie **nous** parle.
Élodie **vous** parle.
Élodie **leur** parle (à ses sœurs, à ses frères).
Autres verbes : *téléphoner à quelqu'un, sourire à quelqu'un, envoyer (quelque chose) à quelqu'un, plaire à quelqu'un.*
Attention : *La cuisine **me** plaît = j'aime bien la cuisine.*

La cuisine

une cuisine équipée avec un réfrigérateur (un frigo), un congélateur, une cuisinière, un four, un lave-vaisselle, un évier, un placard.

Les accessoires

une cafetière, une théière, un mixeur, une bouilloire, un grille-pain.

Les activités

faire les courses, faire la cuisine, faire la vaisselle.

// **PISTE 32** ❯ 3ᴱ ÉCOUTE

3. Écrivez les pronoms COI que vous entendez.

1. Ça .... plaît, madame ?

2. Oh oui, ça .... plaît beaucoup.

3. Eh bien tu .... envoies une photo.

4. ... Et tu .... téléphones pour avoir son opinion.

5. ... Excusez-moi, je .... parle une minute et je reviens.

6. Elle doit .... parler parce que son mari est cuisinier.

// **PISTE 32** ❯ 4ᴱ ÉCOUTE

4. Qu'est-ce que vous entendez ?

1. ☐ a. C'est un beau salon.   ☐ b. J'aime beaucoup le salon.

2. ☐ a. Et voilà la cuisine équipée.   ☐ b. Vous avez la cuisine équipée.

3. ☐ a. Tu as beaucoup de place libre.   ☐ b. Il y a beaucoup de place libre.

4. ☐ a. Là tu peux mettre ta cafetière.   ☐ b. Là c'est pour mettre ta cafetière.

5. ☐ a. C'est vrai, c'est très pratique.   ☐ b. C'est vraiment très pratique.

6. ☐ a. À l'instant ?   ☐ b. Maintenant ?

7. ☐ a. Tu as raison.   ☐ b. C'est une bonne raison.

8. ☐ a. Alors vous comprenez, la cuisine...   ☐ b. Alors vous savez, la cuisine...

9. ☐ a. Elle a un mari génial.   ☐ b. Elle a un mari formidable.

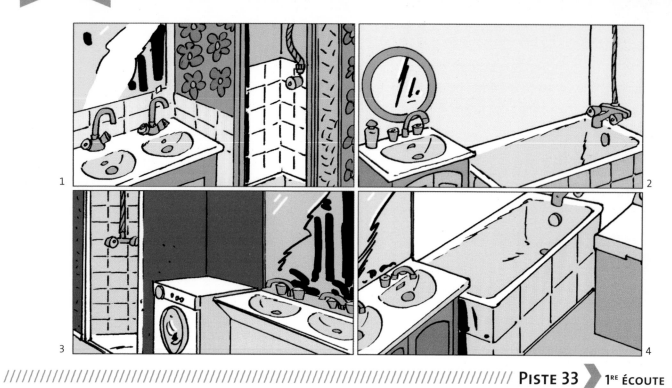

// **PISTE 33** 1RE ÉCOUTE

5. Associez deux images au dialogue.

La salle de bains   avant les changements : n° ....   après les changements : n° ....

// **PISTE 33** 2^E ÉCOUTE

6. Choisissez vrai, faux ou « on ne sait pas ».

	Vrai	Faux	?
1. Sophie veut changer de maison.	☐	☐	☐
2. Sophie veut peindre toute la maison.	☐	☐	☐
3. Sophie regarde des photos de salle de bains.	☐	☐	☐
4. Sophie regarde la salle de bains pour faire des changements.	☐	☐	☐
5. L'homme aime bien sa salle de bains.	☐	☐	☐
6. Maintenant la salle de bains a des murs blancs.	☐	☐	☐
7. L'homme est content d'avoir plus de place.	☐	☐	☐
8. Les changements coûtent très cher.	☐	☐	☐
9. Sophie ne veut pas payer.	☐	☐	☐
10. Sophie et l'homme vont payer ensemble.	☐	☐	☐

// **PISTE 33** 3^E ÉCOUTE

7. Choisissez la phrase exacte.

1. ☐ a. Sophie, où tu es ?   ☐ b. Sophie, où es-tu ?

2. ☐ a. Il y en a marre. (langage familier)   ☐ b. J'en ai marre. (langage familier)

3. ☐ a. C'est très bien comme ça.   ☐ b. C'est très beau comme ça.

4. ☐ a. Tu ne vas pas changer le lavabo ?   ☐ b. Tu ne veux pas changer le lavabo ?

5. ☐ a. C'est toi, mon chéri.   ☐ b. C'est toi et moi chéri.

Le futur proche

	PEINDRE
Aller au présent + verbe à l'infinitif Je vais prendre une douche. Il va louer un studio.	Je peins Tu peins Il/elle/on peint
Place du pronom Ils vont **le** voir. Nous allons **nous** laver.	Nous pei**gn**ons Vous pei**gn**ez Ils/elles pei**gn**ent **Autre verbe :** éteindre La nuit, nous éteignons la lumière.

La salle de bains

Le lavabo, la douche, la baignoire, le miroir, le lave-linge, le sèche-linge.
La brosse à dents, le dentifrice, le peigne, la brosse, le shampooing, le sèche-cheveux, la serviette, le savon.

Les activités

Prendre un bain, prendre une douche, se laver les dents, se coiffer.

Expression

J'en ai marre. (langage familier) = J'en ai assez. (standard)

OUTILS

// **PISTE 33** 》 4ᴱ ÉCOUTE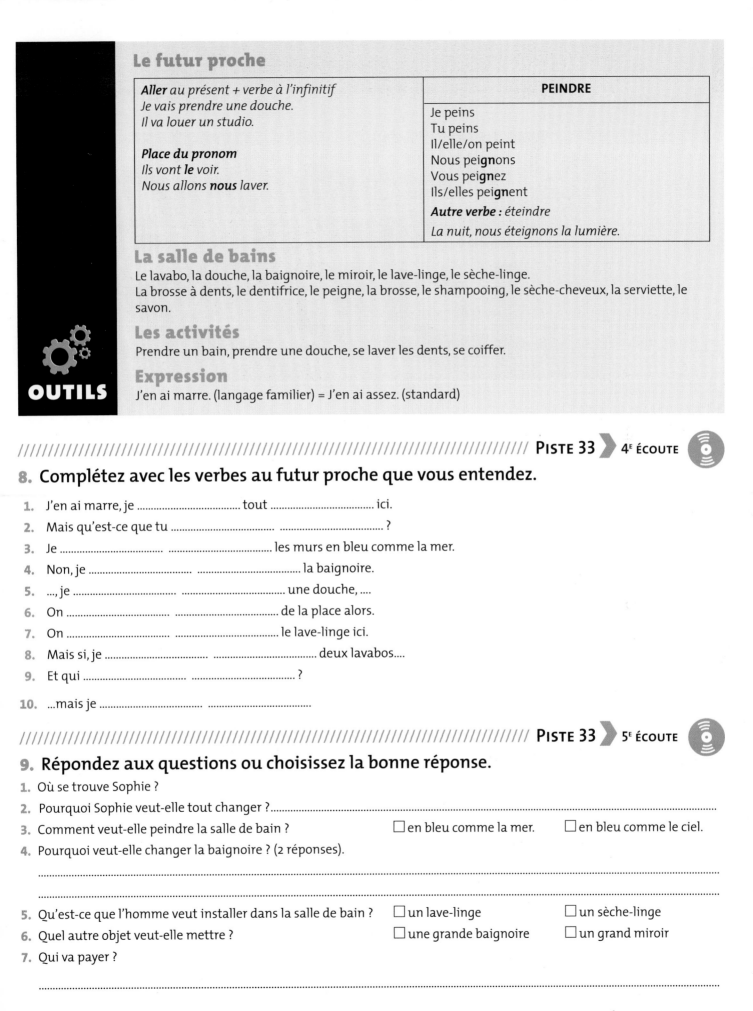

8. Complétez avec les verbes au futur proche que vous entendez.

1. J'en ai marre, je .... tout .... ici.

2. Mais qu'est-ce que tu .... ?

3. Je .... les murs en bleu comme la mer.

4. Non, je .... la baignoire.

5. ..., je .... une douche, ...

6. On .... de la place alors.

7. On .... le lave-linge ici.

8. Mais si, je .... deux lavabos....

9. Et qui .... ?

10. ...mais je ....

// **PISTE 33** 》 5ᴱ ÉCOUTE

9. Répondez aux questions ou choisissez la bonne réponse.

1. Où se trouve Sophie ?

2. Pourquoi Sophie veut-elle tout changer ?...

3. Comment veut-elle peindre la salle de bain ? ☐ en bleu comme la mer. ☐ en bleu comme le ciel.

4. Pourquoi veut-elle changer la baignoire ? (2 réponses).

....

....

5. Qu'est-ce que l'homme veut installer dans la salle de bain ? ☐ un lave-linge ☐ un sèche-linge

6. Quel autre objet veut-elle mettre ? ☐ une grande baignoire ☐ un grand miroir

7. Qui va payer ?

....

// PISTE 34 ⟩ 1RE ÉCOUTE

10. Choisissez les images qui montrent le logement d'Alice et de Clément.

A   B   C   D   E   F   G   H

// PISTE 34 ⟩ 2^R ÉCOUTE

11. Répondez aux questions.

1. Où sont Alice et Clément au début du dialogue ?

....

2. Que font-ils avec les meubles ?

....

3. Qui décide où il faut mettre les meubles ?

....

4. Que fait Clément ?

....

5. Est-ce que l'ami d'Alice et de Clément aime les changements ?

....

6. Où vont-ils dans la deuxième partie du dialogue ?

....

7. Quel est le problème quand on est assis sur le canapé ?

....

8. Quel est le défaut du salon ?

....

Les prépositions de lieu

• *dans – sur – sous – devant – derrière* + *nom*. Le papier est dans le livre, sur le livre, sous le livre.
• *verbe* + *à côté – à droite – à gauche – en face*. Il habite à côté, à droite, en face.
• *à côté de – à droite de – à gauche de – en face de* + *nom*. Le lit est à côté **de**/à droite **de**/à gauche **de**/ en face **de** la fenêtre. À côté **du** lit.

Les meubles

Dans la chambre : un lit, une table de nuit, une armoire, une commode.
Dans le salon : un canapé, un fauteuil, une table basse, une bibliothèque. On change un meuble de place, on déplace un meuble, on porte un meuble pour le déplacer.

Donner son avis, son opinion

Langue standard : Ça ne me plaît pas (- -), ça me plaît (+), ça me plaît beaucoup (+ +).
Ce n'est pas bien (-), ce n'est pas mal (+), c'est bien (++), c'est très bien (+++).
Langue familière : C'est nul (--), c'est pas terrible (-), c'est pas génial (-), c'est chouette (+), c'est super (++), c'est génial (+++).

OUTILS

// Piste 34 ❯ 3ᴱ écoute

12. Complétez avec les prépositions de lieu que vous entendez.

1. Ici, ... la fenêtre.

2. Oui, et mets la table de nuit .... lit, voilà.

3. Mais où on va mettre l'armoire ? .... lit ?

4. ... la télé .... la table basse, ...

5. Assieds-toi .... le canapé et regarde.

6. Et pourquoi vous ne mettez pas la télé .... la chambre ?

7. .... l'armoire ?

// Piste 34 ❯ 4ᴱ écoute

13. Qu'est-ce que vous entendez ? Précisez si c'est du français standard ou familier.

		Standard	Familier
1. Oui et mets la table de nuit à droite du lit...voilà			
☐ a. ce n'est pas mal.	☐ b. c'est pas terrible.	....	....
2. Oui,			
☐ a. c'est super.	☐ b. c'est bien.	....	....
3. Tu sais Clément,			
☐ a. c'est génial.	☐ b. c'est très bien.	....	....
4. Ah je vois, eh ben			
☐ a. c'est pas terrible.	☐ b. ce n'est pas bien.	....	....
5. Moi			
☐ a. ça me plaît.	☐ b. c'est chouette.	....	....
6. ...la télé sous la table,			
☐ a. c'est bien.	☐ b. c'est super.	....	....
7. Oui mais on ne peut pas la voir du canapé,			
☐ a. ça, ça ne me plaît pas.	☐ b. ça, c'est pas génial.	....	....
8. Ah non alors,			
☐ a. ça c'est nul !	☐ b. ça ce n'est pas bien !	....	....

OBJECTIFS FONCTIONNELS : Appréhender son environnement domestique – S'orienter.

GRAMMAIRE : Les verbes pouvant avoir un COD et un COI – La place des pronoms à l'impératif – L'accord et la place des adjectifs – *Aussi* et *non plus* – Les ordinaux.

LEXIQUE : Les activités dans la maison / L'orientation (demander et donner des indications).

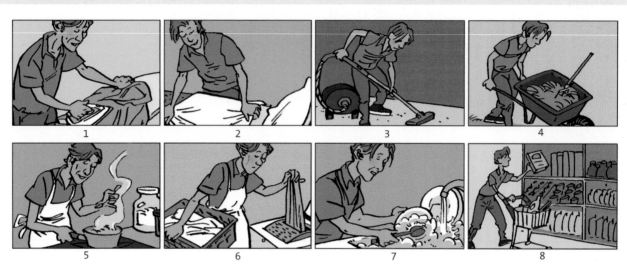

// **PISTE 35** 〉 1RE ÉCOUTE

1. Qu'est-ce que Julien va faire ?

Images n° ....

// **PISTE 35** 〉 2^E ÉCOUTE

2. Choisissez vrai ou faux.

	Vrai	Faux
1. La fille voudrait se marier avec Julien.	☐	☐
2. Julien travaille.	☐	☐
3. Julien ne sait pas faire le ménage.	☐	☐
4. Julien adore le repassage.	☐	☐
5. La fille aime beaucoup les supermarchés.	☐	☐
6. La fille et Julien ne savent pas faire la cuisine.	☐	☐
7. La mère pense que Julien est parfait.	☐	☐

// **PISTE 35** 〉 3^E ÉCOUTE

3. Qu'est-ce que vous entendez ?

1. ☐ a. Pourquoi, tu n'es pas bien ici ?   ☐ b. Et toi, tu n'es pas bien ici ?

2. ☐ a. Il a un travail.   ☐ b. Il travaille.

3. ☐ a. Et le repassage ?   ☐ b. Et pour repasser ?

4. ☐ a. Il aime beaucoup les supermarchés.   ☐ b. Il aime beaucoup faire le marché.

5. ☐ a. Ce n'est pas un problème.   ☐ b. Pas de problème.

6. ☐ a. C'est facile.   ☐ b. C'est inutile.

Certains verbes peuvent avoir un COD et un COI

Par exemple, on peut demander **quelque chose à quelqu'un** :

Je demande le prix (quelque chose / COD) à la vendeuse (à quelqu'un / COI).
Le prix, je **le** demande à la vendeuse.
La vendeuse, je **lui** demande le prix.

Avec ces verbes, on peut utiliser les pronoms COD et les pronoms COI.

Autres verbes : **dire** *qqch. à qqn,* **expliquer** *qqch. à qqn,* **demander** *qqch. à qqn,* **raconter** *qqch. à qqn* **donner** *qqch. à qqn,* **acheter** *qqch. à qqn,* **offrir** *qqch. à qqn,* **payer** *qqch. à qqn,* **faire** *qqch. à qqn.* **envoyer** *qqch à qqn.*

Moi aussi / moi non plus

J'habite en ville, et toi ?
Je **n'**aime **pas** faire le ménage, et toi ?

– Moi **aussi**, j'habite en ville.
– Moi **non plus**, je n'aime **pas** faire le ménage.

Les activités dans la maison

Faire le ménage (balayer, passer l'aspirateur, laver par terre), ranger la maison, faire le lit, faire le repassage (repasser), faire la lessive, faire la cuisine (cuisiner), faire les courses.

/// PISTE 35 ❯ 4ᴱ ÉCOUTE

4. Reliez les deux parties de la phrase que vous entendez.

1. Maman je voudrais
2. Julien va
3. Et le ménage, tu détestes
4. Sa mère
5. Julien va
6. Et les courses, tu ne
7. C'est vrai, mais Julien
8. Sa mère va
9. Moi aussi je peux

a. lui demande souvent ...
b. te dire quelque chose.
c. le payer.
d. le faire ici.
e. les fait très bien.
f. le faire, il adore ça.
g. t'expliquer.
h. les fais pas ici.
i. lui donner des recettes ...

/// PISTE 35 ❯ 5ᴱ ÉCOUTE

5. Qu'est-ce que vous entendez ?

1. ☐ a. Je vais prendre l'appartement de Julien.　　☐ b. Je vais prendre un appartement avec Julien.

2. ☐ a. Et qui doit payer le loyer ?　　☐ b. Et qui va payer le loyer ?

3. ☐ a. Sa mère lui demande souvent de le faire chez eux.　　☐ b. Sa mère lui demande toujours de le faire chez eux.

4. ☐ a. Julien ne sait pas faire la cuisine et moi non plus.　　☐ b. Julien sait bien faire la cuisine mais toi non.

5. ☐ a. ... et lui expliquer ce qu'il faut faire.　　☐ b. ... et lui expliquer comment faire.

6. ☐ a. Il est parfait ce garçon.　　☐ b. Il est très bien ce garçon.

7. ☐ a. C'est sûr qu'il va habiter avec toi ?　　☐ b. Tu es sûre qu'il veut habiter avec toi ?

// **PISTE 36** 1RE ÉCOUTE

6. Juliette donne à Romain trois idées de cadeau. De quels objets parle-t-elle ?

Images n° ....

// **PISTE 36** 2E ÉCOUTE

7. Choisissez la proposition exacte.

1. ☐ a. Juliette est invitée chez une amie.
   ☐ b. Romain est invité chez une amie.
   ☐ c. Romain et Juliette sont invités chez une amie.

2. ☐ a. Juliette dit qu'il y a beaucoup de tapis chez Tapitout.
   ☐ b. Juliette dit qu'il y a de grands tapis chez Tapitout.
   ☐ c. Juliette n'aime pas les couleurs des tapis.

3. ☐ a. La salle de bain est verte avec des fleurs roses.
   ☐ b. La salle de bain est rose avec des fleurs vertes.
   ☐ c. La salle de bain a des fleurs vertes et roses.

4. ☐ a. L'amie de Romain a peint sa chambre en bleu.
   ☐ b. L'amie de Romain a peint sa chambre en blanc.
   ☐ c. L'amie de Romain va peindre sa chambre en blanc.

5. ☐ a. L'amie de Romain n'aime pas les lampes.
   ☐ b. L'amie de Romain a déjà une lampe.
   ☐ c. L'amie de Romain n'a pas de lampe.

6. ☐ a. Romain dit que le cadeau est trop original.
   ☐ b. Romain dit que le cadeau n'est pas très original.
   ☐ c. Romain dit que le cadeau est vraiment génial.

7. ☐ a. Juliette va téléphoner à l'amie de Romain.
   ☐ b. Juliette dit à Romain de téléphoner à son amie.
   ☐ c. Juliette dit à Romain que son amie va téléphoner.

8. ☐ a. Romain est trop malade pour aller à cette fête.
   ☐ b. Juliette conseille à Romain de dire qu'il est malade.
   ☐ c. Juliette dit à Romain que son amie est malade.

OUTILS

Place des pronoms à l'impératif

Phrase affirmative : verbe + pronom Le pronom est **derrière** le verbe.		*Phrase négative :* pronom + verbe Le pronom est **devant** le verbe (place normale).	
Regarde-**moi**	Parle-**moi**	Ne **me** regarde pas	Ne **me** parle pas
Regarde-**le/la**	Parle-**lui**	Ne **le/la** regarde pas	Ne **lui** parle pas
Regardez-**nous**	Parle-**nous**	Ne **nous** regarde pas	Ne **nous** parle pas
Regardez-**les**	Parle-**leur**	Ne **les** regarde pas	Ne **leur** parle pas

Accord et place des adjectifs

Le nouv**eau** vase rond/léger/blanc. Les nouv**eaux** vases rond**s**/léger**s**/blanc**s**.

La nouv**elle** table rond**e**/lég**ère**/blan**che**. **Les** nouv**elles** t**ables** rond**es**/lég**ères**/blan**ches**.

Généralement, on place l'adjectif derrière le nom.

Mais on place ces adjectifs **devant le nom :** grand/grande, petit/petite, jeune, vieux/vieille, bon/bonne, mauvais/mauvaise, beau/belle, joli, nouveau/nouvelle.

Attention devant un nom masculin qui commence par une voyelle les adjectifs beau, vieux et nouveau sont différents : un beau tapis / un **bel** appartement - un vieux tapis / un **vieil** appartement – un nouveau tapis / un **nouvel** appartement.

// **PISTE 36** ▶ 3ᴱ ÉCOUTE

8. Notez les pronoms que vous entendez, puis choisissez les mots qu'ils remplacent.

	À Romain	À une amie	Les fleurs	Le tapis	La lampe
1. Donne-............... une idée.					
2. Achète-............... un tapis.					
3. Prends-............... là-bas.					
4. Offre-............... une petite lampe.					
5. Prends-............... bleue.					
6. Offre-............... un vase.					
7. Achète-............... des fleurs.					
8. Mets-............... dans le vase.					
9. Téléphone-............... .					
10. Dis-............... que tu es malade.					
11. Ne .... achète pas de cadeau.					

// **PISTE 36** ▶ 4ᴱ ÉCOUTE

9. Complétez les phrases avec les adjectifs que vous entendez.

1. Je cherche un .... cadeau pour une amie.

2. Elle fait une fête samedi dans sa .... maison,...

3. ... ils ont des tapis .... de toutes les couleurs : ...., ..., ...

4. Sa salle de bains, elle est .... avec des fleurs ....

5. Eh bien offre-lui une .... lampe pour sa chambre.

6. Prends-la .... ou ...., c'est bien.

7. Ce n'est pas très ....

8. Téléphone-lui, dis-lui que tu es ....

9. Ah, c'est ....

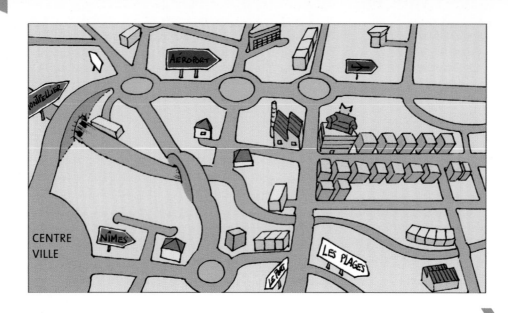

// **PISTE 37** ❭ **1ʳᴱ ÉCOUTE** 💿

10. Où vont-ils aller ? Dessinez l'itinéraire sur le plan.

// **PISTE 37** ❭ **2ᴱ ÉCOUTE** 💿

11. Répondez aux questions.

1. Qu'est-ce que ces personnes vont visiter ?

....

2. Quel jour et à quelle heure sont-ils invités à cette visite ?

....

3. Où se trouve ce nouvel endroit ?

....

4. Que demande la femme ?

....

5. Au premier rond-point, faut-il tourner à droite ou à gauche ?

....

6. Que vend le magasin qui est près de l'endroit à visiter ?

....

7. L'endroit à visiter se trouve-t-il à droite ou gauche de la route ?

....

8. Après le troisième rond-point, combien de mètres faut-il faire avant de tourner ?

☐ a. 100 mètres ☐ b. 200 mètres ☐ c. 300 mètres

9. Le bâtiment à visiter est ...

☐ a. le cinquième ☐ b. le sixième ☐ c. le septième

L'orientation

Demander des informations

Où est / où se trouve la place de l'Étoile ?
Comment aller place de l'Étoile ?
Je vais place de l'Étoile, **vous pouvez m'indiquer le chemin ?**

Donner des indications

Vous **prenez** la rue/la route/la direction de Paris – Vous **allez tout droit** – Vous **tournez** à droite/à gauche – Vous **suivez** la rivière/les indications – Vous **traversez** la rivière/le carrefour – Vous **continuez** tout droit – Vous **passez** un feu rouge/un rond-point.
Vous allez **jusqu'à** la gare/**jusqu'au** pont – Vous **sortez de** l'autoroute.

Les ordinaux

Le prem**ier** carrefour, la prem**ière** rue, le/la deuxième…, le/la troisième / quatrième / cinquième / sixième / septième / huitième / neuvième / dixième / onzième…

// PISTE 37 ❯ 3ᵉ ÉCOUTE

12. Complétez en écrivant le verbe ou la lettre correspondant au verbe.

A : allez   B : continuez   C : passez   D : prenez
E : sortez   F : suivez   G : tournez   H : traversez

Quand vous .... du centre-ville, vous ....la rivière et vous .... la direction

de Montpellier.

Vous ....tout droit jusqu'à un rond-point. Là vous ....la première route à droite et vous

...........................les indications pour aller à l'aéroport. Vous...........................un deuxième rond-point, et au troisième,

vous ....tout de suite à droite. Vous .... une centaine de mètres et après le magasin de meubles,

vous .... à gauche.

// PISTE 37 ❯ 4ᵉ ÉCOUTE

13. Barrez les mots inexacts et remplacez-les par les mots exacts.

1. Messieurs-dames, merci de votre information.

....

2. Et…où sont-ils ?

....

3. Près de l'aéroport, c'est très facile.

....

4. Excusez-moi, au premier grand pont, il faut tourner où ?

....

5. La troisième, il y a une information : « aéroport ».

....

6. Encore une question ?

....

Écoutez les documents. Cochez les propositions exactes ou répondez aux questions.

/// **PISTE 38**

Document 1 (2 écoutes)   5 POINTS

1. Où sont situés les nombreux appartements proposés par l'agence ?   **1 POINT**

....

2. Quelles sont les deux propositions de l'agence ?   **1 POINT**

a ☐   b ☐   c ☐   d ☐

Ces deux logements sont : ☐ A à louer ☐ B à acheter   **1 POINT**

3. Que faut-il faire pour visiter un appartement ?   **1 POINT**

....

4. À quelle heure l'agence ferme-t-elle le samedi ?   **1 POINT**

....

/// **PISTE 39**

Document 2 (2 écoutes)   6 POINTS

1. Quelle est la situation ?   **1 POINT**
☐ a. l'homme donne son avis sur l'appartement de la femme.
☐ b. l'homme voudrait l'avis de la femme sur un appartement.

2. Pourquoi l'homme n'aime-t-il pas beaucoup le salon ? (2 réponses)   **2 POINTS**

....

....

3. Quel dessin correspond au salon de l'appartement visité ?   **2 POINT**

a ☐   b ☐   c ☐   d ☐

4. Quand l'homme donne-t-il rendez-vous à la femme ?   **1 POINT**

....

// **PISTE 40**

Document 3 (2 écoutes)   6 POINTS

1. De quelle maison l'homme parle-t-il ?   **2 POINTS**

a☐   b☐   c☐

2. D'après l'homme, qui est content ?   **2 POINTS**

....

3. Ces personnes sont contentes parce qu'il y a ...   **1 POINT**
☐a. un marché à côté.   ☐b. de la place pour jouer.
☐c. une place pour marcher.

4. Qu'est-ce que l'homme aime faire ?   **1 POINT**
☐a. se promener dans le parc ☐b. courir au bord de la rivière ☐c. marcher avec les enfants

// **PISTE 41**

Document 4 (2 écoutes)   8 POINTS

1. Pourquoi cet appartement est-il parfait pour des étudiants ?   **1 POINT**

....

2. Qu'est ce que la jeune fille n'aime pas ?   **1 POINT**
☐a. la salle de bains. ☐b. la couleur de la salle de bains. ☐c. le miroir de la salle de bains.

3. La chambre a une qualité et un défaut :   **2 POINTS**
Qualité :...   Défaut :...

4. Qu'est-ce qu'on construit en face de cet appartement ?   **1 POINT**
☐une salle de sport.   ☐une salle de cinéma   ☐une salle de spectacles

5. Le jeune homme demande...   **1 POINT**
☐si le quartier est vivant.   ☐si le quartier est bruyant.   ☐si le quartier est agréable.

6. Comment est la cuisine ? (2 réponses)   **2 POINTS**

....

TOTAL

Comptez vos points

→ **VOUS AVEZ PLUS DE 20 POINTS :** BRAVO ! C'est très bien. Vous pouvez passer
à l'unité suivante.

→ **VOUS AVEZ PLUS DE 13 POINTS :** C'est bien, mais écoutez une fois de plus
le document, regardez encore vos erreurs, puis passez à l'unité suivante.

→ **VOUS AVEZ MOINS DE 13 POINTS :** Vous n'avez pas bien compris cette unité,
reprenez-la complètement (avec les corrigés), puis recommencez l'auto-évaluation.
Bon courage !

PARTAGER UN REPAS

OBJECTIFS FONCTIONNELS : Distinguer présent et passé – Appréhender la notion de quantité.

GRAMMAIRE : Les quantités indéterminées : *du, de la, de l', des* – La négation : *ne... pas de* – Le pronom *en* – Le passé composé avec *avoir*, affirmatif et négatif.

LEXIQUE : Les repas – L'alimentation – *Bon / bien*.

// **PISTE 42** ❯ 1ʳᵉ ÉCOUTE 🔘

1. Qu'est-ce que le serveur ne va pas apporter ? Notez les numéros.

Images n° ....

// **PISTE 42** ❯ 2ᵉ ÉCOUTE 🔘

2. Choisissez la proposition exacte.

1. ☐ a. Les trois clients sont des amis.
   ☐ b. Les trois clients travaillent ensemble.

2. ☐ a. La scène se passe à midi.
   ☐ b. La scène se passe le matin.

3. ☐ a. Deux personnes veulent boire du café.
   ☐ b. Les trois personnes veulent boire du café.

4. ☐ a. Une personne veut manger.
   ☐ b. Deux personnes veulent manger.

5. ☐ a. La jeune fille a faim.
   ☐ b. La jeune fille n'a pas faim.

6. ☐ a. Il n'y a pas de pain au chocolat.
   ☐ b. Il n'y a pas de croissant.

7. ☐ a. Les croissants sont bons.
   ☐ b. Les croissants ne sont pas bons.

8. ☐ a. Le garçon est très aimable.
   ☐ b. Le garçon n'est pas très aimable.

OUTILS

Les quantités indéterminées

Il veut **du** pain, **de la** confiture, **de l'**eau, **des** fruits.
On utilise *du, de la, de l'* – pour désigner une partie de quelque chose : Il veut **du** pain.
– pour les choses qu'on ne peut pas compter : Il a **de la** chance.
À la forme négative : Il **ne** veut **pas de** pain, **pas de** confiture, **pas d'**eau, **pas de** fruit.

Bon / bien

Bon (adjectif) complète un nom : un **bon** gâteau, une **bonne** orange, un **bon** livre.
Bien (adverbe) complète un verbe : On mange **bien**, on dort **bien**, on étudie **bien**.

Attention à la place de l'adverbe !

- derrière le verbe au présent : Il travaille **bien**. – Elle dort **mal**. – Vous lisez **beaucoup**.
- devant le verbe à l'infinitif quand il y a deux verbes : On doit **bien** manger. – Il faut **beaucoup** dormir.

Les repas

Le matin, on prend le petit-déjeuner. À midi, on déjeune. Le soir, on dîne.
Au petit-déjeuner
On boit du café, du café au lait, du chocolat, du thé, du jus de fruit.
On mange du pain avec du beurre et de la confiture, un croissant, un pain au chocolat, un yaourt, un fruit (une orange, une pomme, une poire, une banane, une pêche, un abricot, du raisin, des fraises...).

Au restaurant

Le client regarde la carte ou le menu, il choisit et il commande.
Le serveur (le garçon) **sert** le client, il **sert** le café. Après le repas, le client demande la note ou l'addition.

// PISTE 42 ❯ 3ᴱ ÉCOUTE

3. Complétez les phrases avec les déterminants que vous entendez.

1. Nous allons faire .... bon travail...

2. Donnez-moi .... petit-déjeuner complet avec .... jus d'orange et .... café s'il vous plaît.

3. Vous préférez .... pain ou .... croissants ?

4. .... pain avec .... confiture et .... beurre.

5. Je voudrais .... café s'il vous plaît.

6. Donnez-moi aussi .... petit-déjeuner complet avec .... thé et .... œufs.

7. Nous ne servons pas .... œufs le matin.

8. Donnez-moi .... petit pain au chocolat.

9. Nous n'avons pas .... pain au chocolat.

10. .... croissants sont bons ?

11. Je vais prendre .... croissant.

12. Vous voulez .... lait ?

13. Je ne bois pas .... lait.

// PISTE 42 ❯ 4ᴱ ÉCOUTE

4. Complétez les phrases par l'adjectif « bon » ou l'adverbe « bien ».

1. Très ....

2. Nous allons faire du .... travail.

3. Pour .... travailler il faut .... déjeuner le matin.

4. Je sais ....

5. Les croissants sont ....

1

2

3

4

// **PISTE 43** **1ʳᵉ ÉCOUTE**

5. Qu'est-ce qu'ils mangent ? Associez une image au dialogue.

Image n° .....

// **PISTE 43** **2ᵉ ÉCOUTE**

6. Choisissez la proposition exacte.

1. Les trois amis mangent

☐ a. au restaurant.

☐ b. chez Mélanie.

☐ c. chez Claire.

2. Pour le plat principal, la cuisinière

☐ a. a fait la recette de sa grand-mère

☐ b. a inventé une nouvelle recette.

☐ c. a demandé conseil à son amie.

3. Dans cette recette, il y a

☐ a. des carottes, des olives et du vin blanc.

☐ b. des courgettes, des oignons et du vin rouge.

☐ c. des oignons, des courgettes et du vin blanc.

4. Félix

☐ a. n'aime pas beaucoup ce plat.

☐ b. aime beaucoup manger.

☐ c. préfère les desserts.

Le pronom « en » (1)

Il remplace une quantité indéfinie : **du, de l', de la, des** + nom.

Tu veux **de l'**eau ?	Oui, j'**en** veux.	Non, je n'**en** veux pas.
Elle boit **du** café ?	Oui, elle **en** boit.	Non, elle n'**en** boit pas.
Vous voulez **de la** viande ?	Oui, j'**en** veux.	Non, je n'**en** veux pas.
Vous mangez **des** fruits ?	Oui, nous **en** mangeons.	Non, nous n'**en** mangeons pas.
Il a **des** enfants ?	Oui, il **en** a.	Non, il n'**en** a pas.
Il y a **du** vent.	Oui il y **en** a.	Non, il n'y **en** a pas.

Le repas

Quand on fait un bon repas, on mange une entrée, un plat principal, du fromage et un dessert.
Comme plat principal, on peut manger du poisson ou de la viande (de l'agneau, du bœuf, du mouton, du poulet, du porc, du veau).
Dans le plat principal, il y a des légumes (une carotte, un champignon, une courgette, une pomme de terre, un oignon, une tomate, une salade, un concombre, une aubergine, un poivron, un poireau).
C'est bon, c'est très bon, c'est délicieux, c'est excellent.
Ça sent bon.

OUTILS

/// **PISTE 43** ❯ 3ᴱ ÉCOUTE

7. Qu'est-ce que le pronom « en » remplace ? Écrivez *du, de l', de la, des* + le nom.

1. Il en reste. ....

2. Des carottes, il n'y en a pas. ....

3. Non, il n'y en a pas. ....

4. Non merci, j'en ai. ....

5. Je peux en reprendre. ....

6. Prends-en. ....

7. Tu en veux ? ....

8. Je n'en veux pas, merci. ....

/// **PISTE 43** ❯ 4ᴱ ÉCOUTE

8. Répondez aux questions.

1. Qu'est-ce que Félix aime beaucoup ? ....

2. Qu'est-ce que Mélanie va chercher ? ....

3. Comment Mélanie cuisine-t-elle ? ....

4. Qu'est-ce qui sent bon ? ....

5. Comment s'appelle le plat qu'ils mangent ? ....

6. Qui connaît bien la recette ? ....

7. Pourquoi Claire ne veut-elle pas de pain ? ....

8. Qu'est-ce que Claire prend, des pommes de terre ou des tomates ? ....

9. Est-ce que Claire veut de la sauce ? ....

10. Qu'est-ce que Félix et Claire pensent du plat ? ....

11. Est-ce que Félix a encore faim ? ....

// **PISTE 44** 1ʳᵉ ÉCOUTE

9. Associez chaque dialogue à une image.

Dialogue 1 : n° ..... – Dialogue 2 : n° ..... – Dialogue 3 : n° ..... – Dialogue 4 : n° ..... – Dialogue 5 : n° .....

// **PISTE 44** 2ᴱ ÉCOUTE

10. Répondez aux questions.

Dialogue 1

1. Où les invités ont-ils mangé pour le mariage ? ....

2. Quand est-ce qu'ils ont dansé ? ....

Dialogue 2

3. Qu'est-ce que l'homme a fait ? ....

4. Et la femme, qu'a-t-elle fait ? ....

Dialogue 3

5. Avec qui Sylvie a-t-elle dîné hier soir ? ....

6. Qui a dormi sur le canapé ? ....

Dialogue 4

7. Qui a goûté la salade ? ....

8. Est-ce que la femme a oublié le sel ? ....

Dialogue 5

9. Pourquoi l'homme a-t-il acheté un dessert ? ....

10. Qu'est-ce qu'il n'a pas acheté ? ....

OUTILS

Le passé composé avec « avoir »

AFFIRMATIF	NÉGATIF	INTERROGATIF
J'ai mangé	Je n'ai pas fini	As-tu **bu** ?
Tu as mangé	Tu n'as pas fini	A-t-il/a-t-elle **bu** ?
Il/elle/on a mangé	Il/elle/on n'a pas fini	Avons-nous **bu** ?
Nous avons mangé	Nous n'avons pas fini	Avez-vous **bu** ?
Vous avez mangé	Vous n'avez pas fini	Ont-ils/ont-elles **bu** ?
Ils/elles ont mangé	Ils/elles n'ont pas fini	

On utilise le passé composé pour raconter des évènements passés.
Ici, verbe AVOIR au présent + PARTICIPE PASSÉ du verbe.
Les participes passés en -é : tu as parlé, regardé, écouté, dansé, demandé... (tous les verbes en -er).
Les participes passés en -i / -is / -it : elle a fini, servi, choisi,... pris, compris, ... conduit, interdit...
Les participes passés en -u : nous avons entendu, vu (voir), lu (lire), bu (boire), connu (connaître)...

Attention ! faire : j'ai **fait**.

La table

- Avant le repas, il faut mettre la table. À table, on met une assiette, un verre, des couverts (une fourchette, un couteau, une cuillère à soupe et une petite cuillère pour le dessert).
Sur la table, on met aussi du sel et du poivre, et quelquefois, de l'huile, du vinaigre et de la moutarde.
- Pour faire la cuisine, on utilise une casserole ou une poêle pour faire cuire les légumes ou la viande. On peut mettre un plat au four.
- Après le repas, il faut débarrasser la table, faire la vaisselle (laver la vaisselle), ranger la vaisselle.

/// **PISTE 44** 〉 3ᴱ ÉCOUTE

11. Complétez les phrases avec les verbes au passé composé.

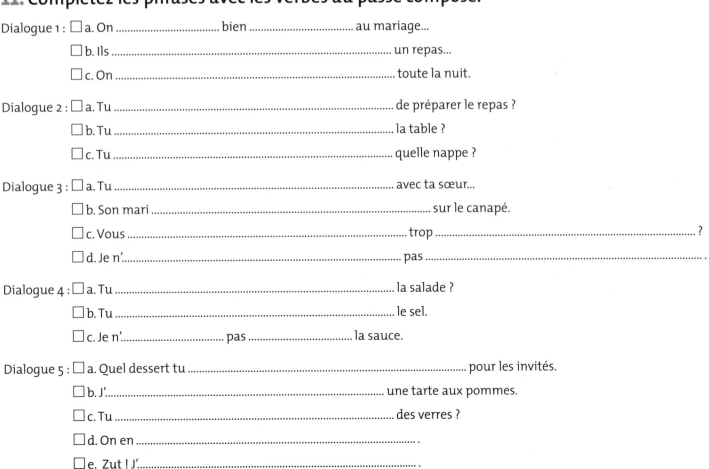

Dialogue 1 : ☐ a. On .... bien .... au mariage...

☐ b. Ils .... un repas...

☐ c. On .... toute la nuit.

Dialogue 2 : ☐ a. Tu .... de préparer le repas ?

☐ b. Tu .... la table ?

☐ c. Tu .... quelle nappe ?

Dialogue 3 : ☐ a. Tu .... avec ta sœur...

☐ b. Son mari .... sur le canapé.

☐ c. Vous .... trop .... ?

☐ d. Je n'........................ pas ....

Dialogue 4 : ☐ a. Tu .... la salade ?

☐ b. Tu .... le sel.

☐ c. Je n'........................ pas .... la sauce.

Dialogue 5 : ☐ a. Quel dessert tu .... pour les invités.

☐ b. J'........................ une tarte aux pommes.

☐ c. Tu .... des verres ?

☐ d. On en ....

☐ e. Zut ! J'........................ .

FAIRE LES COURSES

OBJECTIFS FONCTIONNELS : Distinguer passé et présent – Évaluer les quantités.

GRAMMAIRE : Le passé composé des verbes *être, avoir, devoir, pouvoir, vouloir, savoir* et *offrir* – Le passé composé avec *être* – Le pronom *en* pour les quantités précises.

LEXIQUE : L'alimentation – Les indications temporelles dans le passé – Les quantités précises.

// PISTE 45 ⟩ 1ʳᵉ ÉCOUTE

1. Associez le dialogue à une image.

Image n° .....

// PISTE 45 ⟩ 2ᵉ ÉCOUTE

2. Choisissez vrai, faux ou « on ne sait pas ».

	Vrai	Faux	?
1. François a fait les courses au supermarché.	☐	☐	☐
2. Il a pris un café dans un bar.	☐	☐	☐
3. Il a acheté des pâtes, du riz, et trois autres choses.	☐	☐	☐
4. Il n'a pas acheté de jambon.	☐	☐	☐
5. Il a travaillé jusqu'à 16 heures.	☐	☐	☐
6. Noémie a acheté des fleurs.	☐	☐	☐
7. Quelqu'un a offert quelque chose à Noémie.	☐	☐	☐
8. Noémie a travaillé ce matin.	☐	☐	☐
9. François s'énerve un peu.	☐	☐	☐
10. Le père de François est gentil, élégant et charmant.	☐	☐	☐
11. François n'a pas oublié l'anniversaire de Noémie.	☐	☐	☐
12. Il a acheté un bouquet de fleurs à Noémie.	☐	☐	☐

OUTILS

Le participe passé des verbes « être » et « avoir »

être : J'ai **été**, tu as été, il/elle/on a été ... malade, fatigué... / au cinéma, à Paris...
avoir : J'ai **eu**, tu as eu, il/elle/on a eu ... froid, faim... / une voiture, un accident...

Les participes passés en -ert

Il a offert (offrir), ouvert (ouvrir), découvert (découvrir)

Le passé composé des verbes « pouvoir », « vouloir », « devoir », « savoir »

J'**ai pu** arriver à l'heure.
Il **a voulu** regarder la télévision.
Nous **avons dû** apprendre la leçon.
Ils **ont su** faire les exercices.

Je n'**ai** pas **pu** aller au cinéma.
Il n'**a** pas **voulu** prendre le bus.
Nous n'**avons** pas **dû** faire les courses.
Ils n'**ont** pas **su** répondre.

Faire les courses à l'épicerie

On achète des pâtes (des spaghettis), du riz, de la farine, du sucre, du sel, des conserves, du lait, du fromage, des yaourts, du vin, de l'eau minérale...

// **PISTE 45** ❯ 3ᴇ ÉCOUTE

3. Complétez les phrases au passé composé avec les participes passés que vous entendez.

1. Tu n'as pas .... les courses ?

2. Je n'ai pas .... aller au supermarché.

3. Je n'ai pas .... le temps.

4. Tu as .... où ?

5. J'ai .... du café...

6. Mais, tu n'as pas .... le jambon...

7. Non, j'ai ....

8. Tu sais, j'ai .... travailler...

9. Après, je n'ai pas .... aller au supermarché.

10. Où tu as .... ce bouquet ?

11. Noémie, qui t'a .... ces fleurs ?

12. On a .... un verre ensemble...

13. Tu crois que je l'ai .... ?

// **PISTE 45** ❯ 4ᴇ ÉCOUTE

4. Qu'est-ce que vous entendez ?

1. ☐ a. Belle journée !   ☐ b. Quelle journée !

2. ☐ a. Oui, mais je n'ai pas pu aller...   ☐ b. Si, mais je n'ai pas pu aller...

3. ☐ a. Et, tu as été où ?   ☐ b. Et, où tu as été ?

4. ☐ a. J'ai pris du café, des pâtes, du riz...   ☐ b. J'ai acheté du café, des pâtes, du riz...

5. ☐ a. ...et le fromage pour le pique-nique ?   ☐ b. ...et le fromage pour pique-niquer ?

6. ☐ a. ... travailler jusqu'à sept heures du soir...   ☐ b. ... travailler jusqu'à sept heures ce soir...

7. ☐ a. Il est superbe non ?   ☐ b. C'est superbe non ?

8. ☐ a. Je ne crois pas, moi !   ☐ b. Je ne sais pas, moi !

9. ☐ a. Il est gentil, grand, charmant.   ☐ b. Il est gentil, élégant, charmant.

10. ☐ a. Oh, tu t'énerves !   ☐ b. Oh, tu m'énerves !

11. ☐ a. C'est ton père, idiot !   ☐ b. C'est mon père, idiot !

12. ☐ a. C'est magnifique !   ☐ b. C'est splendide !

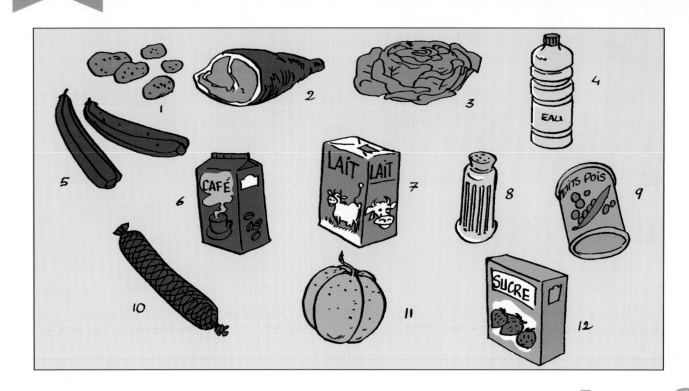

// **PISTE 46** ▶ 1ʳᵉ ÉCOUTE

5. Qu'est-ce que la dame achète ? Notez les numéros.

Images n° ....

// **PISTE 46** ▶ 2ᵉ ÉCOUTE

6. Choisissez la proposition exacte.

1. ☐ a. La scène se passe dans un supermarché.   ☐ b. La scène se passe dans une épicerie.

2. ☐ a. Le marchand ne connaît pas la femme.   ☐ b. La femme est une cliente. L'homme la connaît.

3. ☐ a. La dame achète un melon parce qu'ils sont bons.   ☐ b. La dame achète un melon parce qu'ils sont gros.

4. ☐ a. Hier, elle a acheté des citrons.   ☐ b. Hier, elle a acheté un autre melon.

5. ☐ a. La dame achète deux paquets de thé.   ☐ b. La dame achète deux paquets de café.

6. ☐ a. Elle veut aussi du sel.   ☐ b. Elle veut aussi du sucre.

7. ☐ a. Les tranches de jambon sont très petites.   ☐ b. Les tranches de jambon sont très fines.

8. ☐ a. La cliente achète trois tranches de jambon.   ☐ b. La cliente achète cinq tranches de jambon.

9. ☐ a. Le melon coûte 1 euro 60, le sel coûte 55 centimes et le jambon coûte 5 euros 30.
   ☐ b. Le melon coûte 1 euro 80, le sel coûte 45 centimes et le jambon coûte 7 euros 30.

10. ☐ a. La cliente doit payer 40 euros 95 centimes.   ☐ b. La cliente doit payer 14 euros 85 centimes.

Le pronom « en » (2)

Le pronom **en** remplace un nom accompagné d'une quantité définie.

Tu as **une** voiture ?	Oui, j'**en** ai **une**.	Non, je n'**en** ai pas.
Tu veux **un** café ?	Oui, j'**en** veux **un**.	Non, je n'**en** veux pas.
Combien d'amis as-tu ?	J'**en** ai **un/deux/trois**	Je n'**en** ai pas.
Combien d'oranges voulez-vous ?	J'**en** veux **un/deux/...** kilo(s)	Je n'**en** veux pas.
Combien de lait avez-vous ?	J'**en** ai **un/deux/...** litre(s)	Je n'**en** ai pas.

Les quantités définies

Une (deux, trois) baguette(s) – **Une tranche de** jambon – **Une boîte de** haricots verts ou de sauce tomate – **Un paquet de** café, de pâtes ou de riz – **Un kilo de** fruits ou de légumes – **Un morceau de** fromage – **Un pot de** yaourt ou de confiture – **Une bouteille de** vin.

OUTILS

// **PISTE 46** 〉 3ᴱ ÉCOUTE

7. De quoi parlent-ils ? Écrivez la quantité + le nom.

1. Vous **en** avez pris un hier ....

2. J'**en** ai **un kilo cent** ....

3. J'**en** mets **quatre** ? ....

4. Oui, mettez-**en cinq** ! ....

5. Il y **en** a **une boîte** ....

6. Vous **en** avez **350 grammes** ....

// **PISTE 46** 〉 4ᴱ ÉCOUTE

8. La dame veut beaucoup de choses.
Notez les cinq expressions utilisées par le commerçant pour lui demander ce qu'elle veut.

1. ....

2. ....

3. ....

4. ....

5. ....

// **PISTE 46** 〉 5ᴱ ÉCOUTE

9. Complétez les phrases.

1. Je .... un beau melon.

2. Vous en avez pris un hier, je vous ....

3. .... un kilo de courgettes.

4. .... deux paquets de café, ...

5. Oui, je vais .... trois tranches de jambon.

6. .... , elles sont très fines.

7. Les courgettes, ...

8. .... un euro quatre-vingt-dix.

9. .... quatorze euros et quatre-vingt-cinq centimes.

/// **PISTE 47** ▶ 1ʳᵉ ÉCOUTE

10. Dans quel ordre se sont passées ces actions ?

1. : n°..... **2.** : n°..... **3.** : n°..... **4.** : n°.....

/// **PISTE 47** ▶ 2ᴱ ÉCOUTE

11. Répondez aux questions.

1. Où les deux femmes se rencontrent-elles ? ....

2. Nicole a-t-elle fini de faire ses courses ? ....

3. Qu'est-ce que Nicole a commandé chez le poissonnier ? ....

4. Qu'est-ce l'amie de Nicole cherche ? ....

5. Quel sport les deux femmes pratiquent-elles ? ....

6. Où Nicole travaille-t-elle ? ....

7. Où est le nouveau supermarché ? ....

8. Comment est le parking de ce supermarché ? ....

9. Qu'est-ce qui est difficile dans ce parking ? ....

10. Qu'est-ce que Fred et Nicole ont acheté dans le nouveau supermarché ? ....

11. Pourquoi ? ....

Le passé composé avec « être »

Je suis parti/**e**   Je <u>ne</u> suis <u>pas</u> parti/**e**
Tu es parti/**e**
On est parti / Il est parti / Elle est parti**e**
Nous sommes parti**s**/**es**
Vous êtes parti**s**/**es**
Ils sont parti**s** – Elles sont parti**es**
Attention : le participe passé s'accorde avec le sujet.

Les verbes conjugués avec être
entrer, sortir – arriver, partir
aller, venir – monter, descendre
naître, mourir
rester – passer – tomber – retourner

Il est entré – Il est sorti – Il est arrivé – Il est parti – Il est allé – Il est venu – Il est monté – Il est descendu – Il est né – Il est mort – Il est resté – Il est passé – Il est tombé – Il est retourné.

Les indications temporelles

Hier, hier matin, hier après-midi, hier soir – avant-hier.
Lundi dernier, mardi dernier... *(tous les jours sont masculins)* – la semaine dernière – le mois dernier – l'année dernière.

Au supermarché

On prend un chariot – On choisit les produits dans les rayons – On remplit le chariot – On fait la queue – On paie à la caisse.

OUTILS

/// PISTE 47 ⟩ 3ᴱ ÉCOUTE

12. Complétez les phrases avec des verbes au passé composé.

1. Je .... tôt ce matin.

2. Je .... chez le poissonnier.

3. Je .... là-bas quarante minutes.

4. Tu .... chez le coiffeur.

5. Pourquoi vous n'.. pas .... au tennis.

6. On .... tard.

7. Et on .... au nouveau supermarché.

8. On .... et on .... trois fois !

9. On .... à la caisse.

10. On .... sans les courses.

/// PISTE 47 ⟩ 4ᴱ ÉCOUTE

13. Répondez aux questions.

1. Quand Nicole est-elle passée chez le poissonnier ? ....

2. Combien de temps a-t-elle passé chez le poissonnier ? ....

3. Quand est-elle allée chez le coiffeur ? ....

4. Quand l'amie de Nicole est-elle allée au tennis ? ....

5. Quand est-ce que Fred et Nicole ont mangé des pâtes et du riz ? ....

FAIRE LES MAGASINS

1. Repérer

OBJECTIFS FONCTIONNELS : Distinguer passé et présent – Saisir les nuances de la négation.

GRAMMAIRE : Le pronom *en* avec les quantités – Le passé composé des verbes pronominaux – La négation : *ne... rien, ne... personne, ne... plus, ne... jamais.*

LEXIQUE : Les magasins et leurs produits – *Avoir besoin de..., avoir envie de...* – Les vêtements – Acheter et essayer dans une boutique.

1   2

3   4

// **PISTE 48** ❯ 1ʳᵉ ÉCOUTE

1. Associez les images aux dialogues.

Dialogue 1 : n°..... – Dialogue 2 : n°..... – Dialogue 3 : n°..... – Dialogue 4 : n°.....

// **PISTE 48** ❯ 2ᵉ ÉCOUTE

2. Choisissez vrai ou faux.

	vrai	faux
Dialogue 1 : a. Lhomme cherche le magazine *Motus.*	☐	☐
b. La femme pense que c'est un bon magazine.	☐	☐
c. L'homme achète *Motus.*	☐	☐
d. L'homme veut aussi acheter un guide des États-Unis.	☐	☐
Dialogue 2 : a. L'homme n'a pas de fièvre.	☐	☐
b. La femme lui propose de l'aspirine.	☐	☐
c. L'homme est allé chez le médecin.	☐	☐
d. La femme pense que c'est bien d'aller chez le médecin.	☐	☐
Dialogue 3 : a. La femme cherche dix livres différents.	☐	☐
b. Le livre d'Amélie Nothomb est arrivé hier.	☐	☐
c. L'homme ne peut pas commander les livres pour la femme.	☐	☐
d. L'homme est surpris par la demande de la femme.	☐	☐
Dialogue 4 : a. L'homme veut acheter des gâteaux.	☐	☐
b. Les enfants adorent les gâteaux.	☐	☐
c. L'homme veut choisir les gâteaux.	☐	☐
d. Les enfants aiment les bonbons.	☐	☐

« en » + un adverbe de quantité (3)

Tu manges beaucoup de fruits ?
J'**en** mange **un peu** – J'**en** mange **assez** – J'**en** mange **beaucoup** – J'**en** mange **trop**.

Elle boit trois cafés par jour ?
Non, elle **en** boit **plus** ! – Non, elle **en** boit **moins** !

Attention : **l'**, **le**, **la**, **les** et **en**
Tu lis **le** journal le matin ?   – Oui, je **le** lis.
Tu achètes **des** magazines ?   – Oui, j'**en** achète / J'**en** achète **beaucoup**.

Dans les magasins

Qu'est-ce qu'on achète ?
Dans une pharmacie : un médicament, une crème pour le corps... – *Dans une librairie* : un livre. *Dans une bijouterie* : un bijou (une bague, un collier, un bracelet) – *Dans une boulangerie* : un pain, une baguette, un croissant – *Dans une pâtisserie* : un gâteau, une tarte – *Dans un kiosque à journaux* : un journal, un magazine, une carte postale – *Dans un bureau de tabac* : un paquet de cigarettes.

OUTILS

 **PISTE 48** 3ᴱ ÉCOUTE

3. Que remplacent les pronoms dans les phrases suivantes ?

Dialogue 1 : J'**en** ai **beaucoup**. ....

Je ne **le** connais pas. ....

Je **le** prends. ....

Je n'**en** ai plus. ....

Dialogue 2 : J'**en** ai **un peu**. ....

N'**en** prenez **pas trop**. ....

Je vais **en** prendre. ....

Dialogue 3 : Vous **l'**avez ? ....

Je **l'**ai. ....

J'**en** voudrais **dix**. ....

Je n'**en** ai pas **assez** ....

Vous pouvez me **les** commander. ....

Dialogue 4 : N'**en** prends pas **trop**. ....

Les enfants n'**en** mangent pas. ....

Tu **les** choisis ? ....

J'**en** veux **un** au chocolat. ....

On **en** prend **un peu**. ....

 **PISTE 48** 4ᴱ ÉCOUTE

4. Complétez les phrases suivantes.

Dialogue 1 : L'homme veut acheter un magazine de .... et deux ....

Dialogue 2 : L'homme va prendre de l'aspirine .... et il va aller chez le médecin ....

Dialogue 3 : Le livre d'Amélie Nothomb a déjà beaucoup de .... La femme peut les commander

pour ....

Dialogue 4 : L'homme veut acheter des gâteaux pour .... La femme aime beaucoup

la ....

/// PISTE 49 ❯ 1ʳᴱ ÉCOUTE

5. Associez une image au dialogue.

Image n° .....

/// PISTE 49 ❯ 2ᴱ ÉCOUTE

6. Choisissez la ou les proposition(s) exacte(s).

1. ☐ a. Marianne a beaucoup de pulls.
   ☐ b. Marianne a moins de pulls que Jérôme.
   ☐ c. Marianne a seulement trois pulls.

2. ☐ a. Marianne n'aime pas le blanc.
   ☐ b. Marianne n'aime pas le blanc les jours de pluie.
   ☐ c. Marianne aime le blanc quand il y a du soleil.

3. ☐ a. Marianne déteste le rouge.
   ☐ b. Marianne trouve que le rouge ne lui va pas bien.
   ☐ c. Marianne préfère le bleu.

4. ☐ a. Jérôme pense que Marianne achète trop de pulls.
   ☐ b. Jérôme refuse que Marianne achète des pulls.
   ☐ c. Jérôme accepte que Marianne achète des pulls.

5. ☐ a. Marianne veut aller au centre commercial pour se promener.
   ☐ b. Marianne veut aller au centre commercial pour voir un pull.
   ☐ c. Marianne veut aller au centre commercial pour essayer un pull.

6. ☐ a. Jérôme et Marianne sont des amis.
   ☐ b. Jérôme et Marianne sont un couple.
   ☐ c. Jérôme et Marianne sont des collègues.

/// PISTE 49 ❯ 3ᴱ ÉCOUTE

7. Qu'est-ce que vous entendez ? Choisissez.

1. ☐ a. J'ai besoin d'un pull. ☐ b. J'aime beaucoup ce pull.
2. ☐ a. Alors en blanc quand il pleut, ce n'est pas bien. ☐ b. Alors le blanc quand il pleut, ce n'est pas bien.
3. ☐ a. C'est trop triste. ☐ b. C'est très triste.
4. ☐ a. Et maintenant avec le bleu, c'est très bien ? ☐ b. Et maintenant avec le bleu, tu es très bien ?
5. ☐ a. Mais enfin, tu ne vas pas acheter un pull encore ? ☐ b. Mais enfin, tu ne veux pas acheter un pull encore ?
6. ☐ a. Non, mais j'ai envie de l'essayer. ☐ b. Non, mais je voudrais l'essayer.
7. ☐ a. Oui, je sais bien, tu n'as pas changé. ☐ b. Oui, je me souviens, tu n'as pas changé.
8. ☐ a. Alors, tu viens avec moi ? ☐ b. Alors, on va là-bas ?

Le passé composé des verbes pronominaux : « être » + participe passé

S'HABILLER

Je **me** suis habillé/**e**
Tu **t'**es habillé/**e**
On/Il **s'**est habillé/Elle **s'**est habillé**e**
Nous **nous** sommes habillés/**es**
Vous **vous** êtes habillés/**es**
Ils **se** sont habillés/Elles **se** sont habillé**es**

Je <u>ne</u> **me** suis <u>pas</u> habillé/**e**
Tu <u>ne</u> **t'**es <u>pas</u> habillé/**e**
On/Il <u>ne</u> **s'**est <u>pas</u> habillé/Elle <u>ne</u> **s'**est <u>pas</u> habillé**e**
Nous <u>ne</u> **nous** sommes <u>pas</u> habillés/**es**
Vous <u>ne</u> **vous** êtes <u>pas</u> habillés/**es**
Ils <u>ne</u> **se** sont <u>pas</u> habillés/Elles <u>ne</u> **se** sont <u>pas</u> habillé**es**

Attention : Il faut accorder le participe passé avec le sujet : **Elle** s'est changé**e**.

Exprimer la nécessité

avoir besoin de + *nom / + verbe infinitif*
Il a besoin d'un pantalon / il a besoin de dormir.

Exprimer le désir

avoir envie de + *nom / + verbe infinitif*
J'ai envie d'une nouvelle robe / j'ai envie de changer.

Les vêtements et les matières

Une chemise en coton, un pull en laine, une veste en cuir, une jupe en soie, un manteau, une robe, un pantalon.

OUTILS

/// Piste 49 ⟩ 4ᴱ écoute ◉

8. Répondez aux questions.

1. Jérôme pense que Marianne a combien de pulls ?...

2. Combien de fois Marianne s'est-elle changée aujourd'hui ?...

3. Quand a-t-elle mis un pull blanc ?..

4. Quand est-elle allée au centre commercial ?...

5. Qu'est-ce qu'elle a vu au centre commercial ?...

6. Quand a-t-elle porté un pull gris ?...

7. Jérôme va-t-il aller avec elle au centre commercial ?...

/// Piste 49 ⟩ 5ᴱ écoute ◉

9. Complétez les phrases avec les verbes pronominaux et retrouvez l'infinitif.

1. Marianne aujourd'hui, tu .... trois fois.

   Infinitif : ....

2. Oui, mais ce matin, je .... en blanc et il a plu.

   Infinitif : ....

3. Donc, tu .... et tu as mis un pull rouge.

   Infinitif : ....

4. Oui, mais hier je .... dans le centre commercial.

   Infinitif : ....

5. Tu te souviens quand on ....

   Infinitif : ....

// **PISTE 50** ❯ **1ʳᵉ ÉCOUTE**

10. Associez une image au dialogue.

Image n° .....

// **PISTE 50** ❯ **2ᵉ ÉCOUTE**

11. Répondez aux questions.

1. La cliente accepte-t-elle l'aide de la vendeuse ?

....

2. Qu'est-ce qu'elle cherche ?

....

3. Quelle taille de vêtement la cliente demande-t-elle ?

....

4. Qu'est-ce que la vendeuse lui propose ?

....

5. Est-ce que la cliente aime ce que lui propose la vendeuse ?

....

6. Où se trouve la cabine ?

....

7. Pourquoi la cliente n'entre-t-elle pas dans la cabine ?

....

8. Est-ce que le pantalon lui va bien ?

....

9. Quelle est la taille réelle de la cliente ?

....

10. Qu'est-ce qui reste normalement dans la cabine ?

....

La négation au présent

Tu vois **quelque chose**.	Moi, je **ne** vois **rien**.
Tu vois **quelqu'un**.	Moi, je **ne** vois **personne**.
Tu sors **toujours** le soir.	Moi, je **ne** sors **jamais**.
Tu travailles **encore**.	Moi, je **ne** travaille **plus**.

La négation au passé composé

Tu as vu **quelque chose**.	Moi, je **n'ai rien** <u>vu</u>.
Tu as vu **quelqu'un**.	Moi, je **n'ai vu personne**.
Tu es **toujours** sorti avec lui.	Moi, je **ne** <u>suis</u> **jamais** <u>sorti</u> avec lui.

Dans une boutique

- La cliente regarde la vitrine, essaie un vêtement dans la cabine d'essayage.
- Pour les vêtements, la vendeuse demande la taille : « Quelle taille faites-vous ? » / « Vous faites du combien ? »
  Je fais du 36, 38, 40, 42...
- Le vêtement est à la mode ≠ démodé, chic, élégant, habillé ou classique, décontracté.
- Il me va bien (il te va bien / il lui va bien) – Il ne me va pas bien : il est trop large, trop serré, trop long, trop court.
- Pour les chaussures, le vendeur demande la pointure : « Quelle est votre pointure ? » / « Vous chaussez du combien ? » / « Vous faites du combien ? » - Je chausse (je fais) du 37, 38, 39, 40...

// **PISTE 50** 3ᴱ ÉCOUTE

12. Complétez les phrases.

1. Peut-être, je ne trouve .... ce que je veux.

2. Ce n'est .... la saison.

3. Je sais mais, vous en avez .... ?

4. Bien sûr, madame, nous en avons .... beaucoup.

5. Il y a .... dans la cabine, elle est fermée ?

6. Non, non, il n'y a .... vous pouvez entrer.

7. Je crois que j'ai un peu grossi et le 40 ne me va ....

8. Il y en a .... un dans la cabine.

9. Ah bon, je ne vois ....

10. Alors .... l'a volé.

// **PISTE 50** 4ᴱ ÉCOUTE

13. Que disent-elles ? Retrouvez et écrivez les phrases du document.

1. La vendeuse propose son aide à la cliente. ....

2. Elle lui demande ce qu'elle veut. ....

3. Elle lui demande sa taille. ....

4. La cliente dit qu'elle aime l'ensemble. ....

5. La vendeuse demande à la cliente si l'ensemble lui va bien. ....

6. La cliente explique pourquoi le pantalon ne lui va pas. ....

7. La cliente demande une autre taille. ....

8. La vendeuse demande à la cliente ce qu'elle pense de la veste. ....

Bilan

DELF A2

25 POINTS

Écoutez les documents. Cochez les propositions exactes ou répondez aux questions.

// **PISTE 51**

Document 1 (2 écoutes)   5 POINTS

1. La personne qui laisse le message   1 POINT
  ☐ va dîner chez elle.   ☐ va dîner chez Julie.   ☐ va dîner chez des amis.

2. Qu'est-ce que Nina a acheté ?   2 POINTS

1 ☐	2 ☐	3 ☐	4 ☐
5 ☐	6 ☐	7 ☐	8 ☐

3. Pourquoi Nina est-elle arrivée en retard au travail ?   1 POINT

....

4. Qui doit inviter Mathieu et Thomas ?   ☐ Nina   ☐ Julie   1 POINT

// **PISTE 52**

Document 2 (2 écoutes)   6 POINTS

1. Ce document donne :   1 POINT
  ☐ des informations.   ☐ des conseils.   ☐ des ordres.

2. Pour le petit-déjeuner, quels produits sont très bons pour la santé ? (2 réponses)   2 POINTS

1 ☐	2 ☐	3 ☐	4 ☐

3. Quel produit faut-il consommer en petite quantité?   1 POINT

1 ☐	2 ☐	3 ☐	4 ☐

4. C'est important de prendre son petit-déjeuner   **1 POINT**

    ☐ rapidement.   ☐ en discutant.   ☐ tranquillement.

5. Quel numéro devez-vous appeler pour réécouter tous les conseils pour bien manger ?   **1 POINT**

....

/// **Piste 53**

Document 3 (2 écoutes)   **6 POINTS**

1. Quels sont les horaires d'ouverture du magasin ?... .   **2 POINTS**

2. Combien de vêtements la femme veut-elle changer ?................................... .   **1 POINT**

3. La femme a acheté un pantalon :   **1 POINT**

1 ☐   2 ☐   3 ☐

4. La femme doit prendre quelle taille de pantalon ?   **1 POINT**

    ☐ 36   ☐ 38   ☐ 40   ☐ 42   ☐ 44

5. Quand va-t-elle aller au magasin ?.. .   **1 POINT**

/// **Piste 54**

Document 4 (2 écoutes)   **8 POINTS**

1. Qu'est-ce que Régis a acheté ?   **2 POINTS**

....

2. Le samedi, Pascal   **1 POINT**

    ☐ aime aller dans les magasins.   ☐ n'est jamais allé dans les magasins.
    ☐ ne va plus dans les magasins.

3. Où Pascal et Béatrice ont-ils mangé samedi dernier ?   **1 POINT**

....

4. Régis a dîné   ☐ chez lui.   ☐ au restaurant.   ☐ chez sa mère.   **1 POINT**

5. Régis a mangé   ☐ très peu.   ☐ normalement.   ☐ beaucoup.   **1 POINT**

6. Les deux hommes parlent ensemble,   **2 POINTS**

    ☐ avant le week-end.   ☐ pendant le week-end.   ☐ après le week-end.

                                                       TOTAL

Comptez vos points

→ **Vous avez plus de 20 points** : BRAVO ! C'est très bien. Vous pouvez passer à l'unité suivante

→ **Vous avez plus de 13 points** : c'est bien, mais écoutez une fois de plus les documents. Regardez bien vos erreurs, puis passez à l'unité suivante.

→ **Vous avez moins de 13 points** : vous n'avez pas bien compris cette unité, reprenez-la complètement (avec les corrigés), puis, recommencez l'autoévaluation. Bon courage !

DÉCOUVRIR LA VILLE

1. Repérer

OBJECTIFS FONCTIONNELS : Percevoir des informations complémentaires – Se repérer dans un environnement urbain.

GRAMMAIRE : Les pronoms relatifs *qui* et *que* – La comparaison avec les adjectifs.

LEXIQUE : Les moyens de transport – La ville : les monuments, les services.

// **PISTE 55** ❯ 1ʳᴱ ÉCOUTE

1. Quels sont les trois modes de déplacement conseillés aujourd'hui ?

Image n°.......   n°.......   n°.......

// **PISTE 55** ❯ 2ᴱ ÉCOUTE

2. Choisissez « vrai » ou « faux ».

	Vrai	Faux
1. Le document est une information radio.	☐	☐
2. Les informations concernent Paris.	☐	☐
3. Il y a des grandes manifestations dans les stations de métro.	☐	☐
4. Les chauffeurs de taxis manifestent dans la rue.	☐	☐
5. Les bus qui vont vers le sud-ouest de la capitale circulent bien.	☐	☐
6. Les métros ne circulent pas du tout.	☐	☐
7. Il ne faut pas prendre sa voiture pour circuler.	☐	☐
8. Les vélos peuvent rouler sur des pistes cyclables.	☐	☐
9. Prendre le taxi, c'est pratique aujourd'hui.	☐	☐
10. C'est une bonne journée pour les piétons.	☐	☐
11. Il ne fait pas très beau aujourd'hui.	☐	☐

OUTILS

Le pronom relatif « qui »

Il remplace un nom et se place juste après ce nom.
Il introduit une phrase qui donne une information sur ce nom.
Il est le sujet du verbe placé après.

Il connaît la fille/**qui** $\boxed{chante}$ à la radio.　　Il connaît la maison/**qui** $\boxed{est}$ sur la photo.

La fille/**qui** $\boxed{chante}$ à la radio/s'appelle Fanny.　　La voiture/**qui** $\boxed{est}$ sur la photo/marche bien.

Les moyens de transport

Les transports en commun : le tramway, le bus, (un arrêt de bus), le métro (une station de métro). On attend le métro sur le quai. Pour voyager dans les transports en commun, il faut avoir un ticket ou une carte pour plusieurs voyages.

On peut aussi prendre un taxi, faire du vélo et rouler sur la piste cyclable. Le piéton marche à pied.

// **PISTE 55** ❯ 3ᴱ ÉCOUTE

3. Reliez le pronom relatif avec le mot qu'il remplace.

1. les pistes cyclables
2. les piétons
3. les gens
4. peu de bus
5. les personnes
6. une manifestation
7. les numéros 118, 115 et 121
8. beaucoup de gens

a. **qui** bloque les rues de la ville
b. **qui** circulent
c. **qui** vont vers le sud-est de la capitale
d. **qui** attendent sur les quais
e. **qui** doivent aller en ville
f. **qui** traversent la ville
g. **qui** n'ont pas envie de faire du vélo
h. **qui** sont nombreux aujourd'hui

// **PISTE 55** ❯ 4ᴱ ÉCOUTE

4. Qu'est-ce que vous entendez ? Barrez les mots inexacts.

1. Quelques informations sur la circulation ce matin.
2. Les contrôleurs de bus et de métros font une grande manifestation.
3. Attention aux bouchons.
4. Les numéros 118, 115 et 121, qui vont vers le sud-est de la ville, roulent normalement.
5. Dans les stations de métro, il y a beaucoup de voyageurs qui attendent.
6. Préférez un autre moyen de transport.
7. Laissez votre voiture au parking.
8. Les gens qui veulent aller en ville...
9. N'oubliez pas de circuler sur les pistes cyclables.
10. Les personnes qui n'ont pas besoin de faire du vélo...
11. Et enfin, les touristes, qui sont nombreux aujourd'hui...
12. Il fait très chaud dans la capitale.

// **PISTE 55** ❯ 5ᴱ ÉCOUTE

5. Remplacez les mots barrés de l'exercice 4 par les mots exacts proposés dessous.

1. envie
2. garage
3. rouler
4. choisissez
5. conducteurs
6. aujourd'hui
7. beau
8. piétons
9. capitale
10. gens
11. embouteillages
12. doivent

Mot	1	2	3	4	5	6	7	8	9	10	11	12
Phrase												

1

2

3

4

5

6

// **PISTE 56** 〉 1ʳᵉ ÉCOUTE

6. Classez les images dans l'ordre de la visite.

1- Image n° .... – 2- Image n° .... – 3- Image n° .... – 4- Image n° .... – 5- Image n° ....

7. Quelle image ne correspond pas à la visite ?

Image n° ....

// **PISTE 56** 〉 2ᵉ ÉCOUTE

8. Choisissez la proposition exacte.

1. La cathédrale Saint Pierre date du ☐ IIIᵉ siècle. ☐ XIIIᵉ siècle. ☐ XVIᵉ siècle.

2. Le guide ☐ ne peut pas répondre à toutes les questions.
☐ répond facilement à toutes les questions.
☐ ne veut pas répondre à toutes les questions.

3. Le palais des Princes est aujourd'hui ☐ un lycée. ☐ un cinéma. ☐ un musée.

4. Le parc du château se trouve ☐ devant le château. ☐ à droite du château. ☐ derrière le château.

5. Finalement, le groupe va visiter ☐ le musée. ☐ le parc. ☐ le château.

OUTILS

Les comparatifs avec un adjectif

La tour est **plus** <u>grande</u> **que** la tour Eiffel.
La tour est **moins** <u>grande</u> **que** la tour Eiffel.
La tour est **aussi** <u>grande</u> **que** la tour Eiffel.

Attention : plus bon = *meilleur*
Le café est **meilleur que** le thé.
La glace est **meilleure que** le gâteau.

Les attractions touristiques

Une cathédrale – une église – un palais – un château – un musée – un pont – une tour – un arc de triomphe – une fontaine – une statue – un parc – un jardin botanique.

Situer dans l'espace

Le musée est / **se trouve** / **se situe** / **est situé** dans le centre ville.

Situer dans le temps

Ce monument **date du** XVIᵉ siècle. – Il a été construit **au** XVIᵉ siècle. – **C'est** un monument **du** XVIᵉ siècle.

// PISTE 56 ❯ 3ᴱ ÉCOUTE

9. Complétez les phrases avec le comparatif et l'adjectif.

1. La tour de droite est .... la tour de gauche.

2. Elle est .... la cathédrale.

3. Et, est-ce qu'elle est .... la faculté de Paris ?

4. Il n'est pas .... le musée du Louvre.

5. Il est .... et .... le château de Versailles.

6. Il est .... mais il n'est pas .... le château de Versailles.

// PISTE 56 ❯ 4ᴱ ÉCOUTE

10. Répondez aux questions.

1. Où commence la visite ?

....

2. Les deux tours de la cathédrale sont-elles vraiment différentes ?

....

3. Où se trouve le Palais des Princes ?

....

4. Que pense le guide du musée de la ville ?

....

5. De quand date le château ?

....

6. Qu'est-ce qu'il y a dans le parc du château ?

....

7. La femme est-elle contente de visiter le château ? Justifiez votre réponse.

....

/// **PISTE 57** ❯ 1ʳᵉ ÉCOUTE

11. Remettez les images dans l'ordre chronologique.

1. : n° ......   **2.** : n° ......   **3.** : n° ......   **4.** : n° ......   **5.** : n° ......   **6.** : n° ......

/// **PISTE 57** ❯ 2ᵉ ÉCOUTE

12. Répondez aux questions.

1. Qu'est-ce que la jeune fille a perdu ?

....

2. Pourquoi est-elle allée à la poste ?

....

3. Pourquoi est-elle allée à la banque ?

....

4. Pourquoi est-elle allée à l'université ?

....

5. Avec qui parle-t-elle ?

....

6. Est-ce qu'on est sûr qu'elle a perdu l'objet qu'elle cherche ?

....

7. Qu'est-ce qu'elle doit faire après sa conversation avec l'homme ?

....

Le pronom relatif « que »

Il remplace un nom et se place juste après ce nom.
Il introduit une phrase qui donne une information sur ce nom.
Il est le C.O.D. (complément d'objet direct) du verbe placé après.
Elle aime le film/*que tu regardes*. (Tu regardes le film.)
La chanteuse/*que tu préfères*/donne un concert. (Tu préfères la chanteuse.)

Les services

On doit aller au guichet et quelquefois faire la queue.
• La poste, on y va pour acheter des timbres, pour envoyer ou prendre un paquet...
• La banque, on y va pour ouvrir un compte, pour retirer de l'argent...
• La mairie, on y va pour se marier, pour avoir des informations sur les services de la ville...
• La préfecture, on y va pour avoir un passeport, un permis de conduire ou une carte de séjour...
• Le commissariat de police, on y va pour faire une déclaration de vol, de perte, porter plainte...

/// **PISTE 57** ⟩ 3ᴱ ÉCOUTE

13. Quels mots remplacent les pronoms relatifs dans les phrases suivantes ?

1. .... que mon frère m'a envoyé   que = ...

2. .... que je connais   que = ...

3. .... que je vois tous les lundis   que = ...

4. .... qui est toujours dans mon sac   qui = ...

5. .... que vous allez porter à la préfecture   que = ...

/// **PISTE 57** ⟩ 4ᴱ ÉCOUTE

14. Comment le disent-ils ? Notez les phrases du document.

1. L'homme demande à la jeune fille de s'asseoir.

....

2. Elle dit qu'elle a été obligée de montrer son passeport.

....

3. L'homme dit qu'elle a peut-être oublié son passeport à la banque.

....

4. Elle dit que l'employée de la banque n'a pas trouvé son passeport.

....

5. Elle dit qu'elle a bu un café avec son amie.

....

6. L'homme lui demande quel moyen de transport elle a utilisé pour aller à l'université.

....

7. L'homme lui dit qu'ils vont faire un papier officiel pour la perte de son passeport.

....

8. L'homme lui demande comment elle s'appelle.

....

OBJECTIF FONCTIONNEL : S'informer pour se déplacer.

GRAMMAIRE : Les prépositions avec les villes ou les pays – *D'abord, puis, ensuite, enfin* – Les verbes *arriver, venir* et *partir + à* ou *de – Seulement/ne ... que* – Le pronom y (lieu).

LEXIQUE : Le voyage – Le train – Le mode de logement.

// PISTE 58 ❯ 1RE ÉCOUTE

1. Quels sont les quatre voyages proposés par Fabrice Morel ?

Images n° .... n° .... n° .... n° ....

// PISTE 58 ❯ 2^E ÉCOUTE

2. Choisissez « vrai » ou « faux ».

	Vrai	Faux
1. Fabrice Morel conseille des voyages à une amie.	☐	☐
2. Il propose un voyage au Canada qui commence à Québec.	☐	☐
3. Au nord du pays, il y a des forêts.	☐	☐
4. L'agence de voyage *Grand Nord* peut vous donner plus de renseignements.	☐	☐
5. L'agence *Découverte* propose une semaine en Italie.	☐	☐
6. Le Maroc, c'est très romantique.	☐	☐
7. L'agence *Vatel* propose un voyage en France.	☐	☐
8. C'est un voyage gastronomique.	☐	☐
9. Véronique voudrait partir avec son fiancé.	☐	☐
10. Fabrice Morel lui propose de partir la semaine prochaine.	☐	☐

Les prépositions

Devant les directions : Il habite **au** nord/**au** sud/**à** l'est/**à** l'ouest de la France.

Devant les villes : Il habite **à** Tours, il va **à** Nice.

Devant les pays : Tu habites **en** Belgique, **en** France. Nous allons **en** Espagne, **en** Iran…
*On utilise **en** devant les pays féminins. Ils commencent par une voyelle (l'Iran, l'Angola) ou se terminent par un e (la France, la Chine).*
Exceptions : le Mexique, le Cambodge

Tu vas **au** Japon, **au** Maroc, **au** Sénégal. *On utilise **au** devant les pays masculins.*
Il part **aux** États-Unis, **aux** Antilles. *On utilise **aux** devant les pays au pluriel.*

Indiquer une suite d'actions

D'abord je me renseigne, **puis** je réserve mon billet, **ensuite** je pars, **enfin** je visite.

Voyager (1)

Une agence de voyages, se renseigner, demander des renseignements/un visa, partir en voyage à l'étranger, faire un voyage organisé, acheter un guide touristique/une carte du pays.

OUTILS

/// PISTE 58 ❭ 3ᴱ ÉCOUTE 💿

3. Répondez aux questions.

1. Quelle est la durée du voyage au Canada ?..

2. Qu'est-ce qu'on peut voir au sud ?...

3. Faut-il un visa pour aller au Canada ?..

4. Quelle ville est très romantique ?..

5. Le voyage au Maroc dure combien de temps ?...

6. Le voyage en France est organisé dans quelle partie du pays ?..

7. Quand Fabrice Morel va-t-il parler des Antilles ?...

/// PISTE 58 ❭ 4ᴱ ÉCOUTE 💿

4. Complétez avec *à, au, aux, en*.

1. Eh bien, d'abord un voyage organisé de 10 jours .... Canada.

2. Vous arrivez .... Montréal, puis vous allez .... sud pour voir les lacs.

3. Ensuite vous partez .... nord du pays.

4. Enfin vous allez .... Québec.

5. L'agence *Découverte* vous propose un voyage .... Italie, ... Venise.

6. Ou alors, trois jours .... Maroc, c'est exotique.

7. Oui mais pas à l'étranger, ... France.

8. Un voyage gastronomique d'une semaine .... sud de la France, de Marseille .... Toulouse.

9. Mais je voudrais aussi aller .... Antilles.

1

2

3

4

// **PISTE 59** ❯ 1ʳᵉ ÉCOUTE

5. Associez le dialogue à deux images.

Images n° .... et n° ....

// **PISTE 59** ❯ 2ᵉ ÉCOUTE

6. Choisissez la proposition exacte.

1. Mademoiselle Lefèvre est
☐ a. la directrice de l'entreprise.   ☐ b. la secrétaire du directeur.   ☐ c. la femme du directeur.

2. L'homme a besoin
☐ a. des horaires des trains.   ☐ b. des tarifs des voyages en train.   ☐ c. des destinations des trains.

3. Il veut partir vers
☐ a. 8 heures.   ☐ b. 16 heures.   ☐ c. 6 heures.

4. L'homme veut
☐ a. une place pour un aller simple.   ☐ b. une place pour un aller-retour.   ☐ c. deux places pour un aller simple.

5. Monsieur Fernandez
☐ a. arrive ce soir.   ☐ b. est arrivé hier soir.   ☐ c. va arriver demain soir.

6. Monsieur Fernandez vient pour
☐ a. visiter le magasin.   ☐ b. ouvrir le magasin.   ☐ c. acheter le magasin.

7. Qui va organiser la visite de Mr Fernandez ?
☐ a. l'homme.   ☐ b. la femme.   ☐ c. les deux.

Les prépositions « à » et « de »

Les verbes *partir, arriver, venir* peuvent s'utiliser avec **de** ou **à**.

de indique le lieu de départ, d'origine.

de Paris →

Il part **de** Paris, il arrive **de** Paris, il vient **de** Paris.

à indique le lieu d'arrivée, de destination.

→ **à** Paris

Il part **à** Paris, il arrive **à** Paris, il vient **à** Paris.

« Vers » indique un horaire approximatif :
Je crois que le train de Paris arrive vers onze heures.

Ne ... que = seulement

Il voyage <u>seulement</u> en train = Il <u>ne</u> voyage <u>qu</u>'en train.
Vous connaissez <u>seulement</u> Paris = Vous <u>ne</u> connaissez <u>que</u> Paris.

Voyager (2)

Prendre le train. Réserver sa place, en première classe ou en seconde. Prendre un aller simple ou un aller-retour. Aller à la gare. Chercher le numéro de la voie. Attendre sur le quai. Composter son billet. Monter dans le train. Descendre du train.

OUTILS

// **Piste 59** ⟩ **3ᵉ écoute**

7. Barrez les mots inexacts et remplacez-les par les mots exacts.

1. Vous avez les horaires des trains Paris-Bordeaux ....

2. Oui, il y en a un qui arrive de Paris ....

3. Prenez-moi une place s'il vous plaît ....

4. Non, un aller-retour évidemment ....

5. L'autre est plus rapide ....

6. Pensez qu'il faut aller à l'aéroport ....

7. On peut faire ça tout de suite ....

8. Non, je dois voir monsieur Péret ....

9. Bon, ça va ....

// **Piste 59** ⟩ **4ᵉ écoute**

8. Complétez les phrases.

1. Il y a un train .... six heures mardi ....

2. Il y en a un qui part .... Paris .... et qui arrive

.... Bordeaux ....

3. ... vous avez un train .... et un autre ....

4. Le premier met .... pour faire le voyage.

5. Monsieur Fernandez arrive .... Bruxelles ....

6. Il .... va rester ici .... journée.

7. Après, il part .... Madrid.

8. ... monsieur Péret qui vient .... Lyon.

9. Je suis libre .... entre .... et ....

1   2   3

4   5   6

// PISTE 60 ❯ 1ʳᵉ ÉCOUTE

9. Associez quatre images au dialogue.

Images n° .... n° .... n° .... n° ....

// PISTE 60 ❯ 2ᵉ ÉCOUTE

10. Répondez aux questions.

1. Qu'est-ce que l'homme donne à la femme avec les billets d'avion ?

....

2. À quelle heure vont-ils arriver à Montréal ?

....

3. Jusqu'à quelle heure le responsable travaille-t-il ?

....

4. Quand vont-ils dormir à l'hôtel ?

....

5. Dans quelle partie de la ville se trouve l'hôtel ?

....

6. L'hôtel Alaska a-t-il un restaurant ?

....

7. Et après, où vont-ils dormir ?

....

8. Quand vont-ils au Canada d'habitude ? Quel mois ?

....

9. Qu'est-ce qui est difficile à faire à cette période de l'année ?

....

OUTILS

Le pronom « y »

• Il remplace le lieu **où l'on est** :
Nicole est **à la maison / au cinéma / chez ses amis** ? - Oui, elle **y** est – Non, elle n'**y** est pas.
• Il remplace le lieu **où l'on va** :
Vous allez **au marché / à la plage / chez le coiffeur** ? – Oui, j'**y** vais – Non, je n'**y** vais pas.

Se déplacer

Prendre l'avion à l'aéroport – Prendre le bateau au port – Louer une voiture (une voiture de location).

Se loger

• Réserver une chambre dans un hôtel – Choisir un hôtel deux / trois / quatre étoiles – S'adresser à la réception – Régler la note (la facture).
• Faire du camping (camper) – Dormir sous la tente ou dans une caravane.
• Dormir à la belle étoile (dehors).

// **PISTE 60** ⟩ 3ᴱ ÉCOUTE

11. Quels lieux remplace le pronom « y » dans les phrases suivantes ?

1. Il y reste jusqu'à deux heures du matin. ....

2. On peut y manger ? ....

3. Il doit y faire très froid. ....

4. Nous y allons toujours en mai. ....

5. Nous y avons campé souvent. ....

6. Nous y sommes restés quinze secondes. ....

// **PISTE 60** ⟩ 4ᴱ ÉCOUTE

12. Répondez aux questions.

1. Qui va accueillir cette famille à l'agence de location de voitures ?

....

2. Combien de chambres la cliente veut-elle réserver ?

....

3. Combien d'étoiles l'hôtel Alaska a-t-il ?

....

4. Qu'est-ce que l'homme pense de l'hôtel Alaska ?

....

5. La femme veut-elle réserver une place de camping pour les jours suivants ?

....

6. Avec qui la femme part-elle en voyage ?

....

7. Où peut-on se baigner dans cette région ?

....

8. La femme organise-t-elle un voyage professionnel ou un voyage touristique ?

....

ALLER EN VACANCES

OBJECTIFS FONCTIONNELS : Apprécier les différences – Distinguer un objet désigné.

GRAMMAIRE : Les adjectifs démonstratifs – La conséquence : *donc* et *alors* – Les comparatifs avec un verbe, avec un nom – Les présentatifs : *il y a, c'est.*

LEXIQUE : La météo, le temps qu'il fait – Les vacances – Les souvenirs.

1

2

3

4

/// **PISTE 61** 〉 1ʳᵉ ÉCOUTE

1. Associez une carte au dialogue.

Carte n° ....

/// **PISTE 61** 〉 2ᵉ ÉCOUTE

2. Choisissez « vrai » ou « faux ».

	Vrai	Faux
1. Le bulletin météo est à 8h30.	☐	☐
2. Au nord du pays, il ne fait pas beau.	☐	☐
3. Il fait moins trois degrés.	☐	☐
4. Dans la région parisienne, il y a des orages ce matin.	☐	☐
5. À l'ouest, il ne pleut pas mais il ne fait pas beau.	☐	☐
6. Le présentateur conseille de prendre un parapluie.	☐	☐
7. Il va neiger cette nuit dans l'est du pays.	☐	☐
8. On va pouvoir faire du ski dans les Alpes.	☐	☐
9. Il y a un peu de vent dans le sud.	☐	☐
10. Il fait beau dans le sud.	☐	☐
11. Il fait moins 12 degrés ce matin dans le sud.	☐	☐
12. Il va faire 9 degrés dans l'après-midi.	☐	☐

Les adjectifs démonstratifs

MASCULIN SINGULIER	FÉMININ SINGULIER	MASCULIN ET FÉMININ PLURIEL
ce pays / **ce** matin	**cette** ville / **cette** nuit	**ces** pays / **ces** après-midi /
cet après-midi / **cet** hôtel	**cette** agence / **cette** heure	**ces** hôtels / **ces** nuits /
(devant voyelle et h)		**ces** agences / **ces** heures

Ce matin, cet après-midi, ce soir, cette nuit : peuvent indiquer un moment passé, présent ou futur.
Cette nuit j'ai bien dormi, ce matin je suis en forme, ce soir je vais dîner chez des amis.

La conséquence

Je n'ai pas d'argent, **donc** je ne voyage pas.
Je n'ai pas assez d'argent, **alors** je vais chez mes parents.

La météo

Il fait beau ≠ gris / mauvais – **Il fait** chaud ≠ froid – doux – **Il fait** 10 degrés / moins 10 degrés.
Il pleut – Il neige – **Il y a** de la pluie / de la neige / du vent / du soleil / des nuages / un orage.
Le soleil brille – Le vent souffle – La température monte ≠ baisse.

// **PISTE 61** ❯ 3ᴱ ÉCOUTE

3. Complétez les phrases avec les informations météo que vous entendez.

1. Il fait .... et .... sur tout le nord ...

2. Les .... moyennes sont de trois ....

3. Il y a beaucoup de ....

4. Il va y avoir des .... (...) avec de fortes ....

5. À l'ouest du pays, il ....

6. Il va faire .... toute la journée.

7. Il a .... cette nuit.

8. Dans le sud, il y a beaucoup de ....

9. Il n'y a pas de ....

10. Il fait très .... mais attention, il fait ....

11. La .... va monter ...

12. Le .... va .... toute la journée.

// **PISTE 61** ❯ 4ᴱ ÉCOUTE

4. Complétez les phrases avec « ce, cet, cette, ces » et le nom qui suit.

1. .... , il fait gris ...

2. Il y a beaucoup de nuages sur .... du pays.

3. Il va y avoir des orages ....

4. Il a neigé ....

5. Donc ....

6. Les skieurs vont trouver une belle neige sur ....

7. Il fait froid, moins deux degrés ....

8. La température va monter ....

1   2   3

4   5   6

// **PISTE 62** ❯ 1ʀᴇ ÉCOUTE

5. Qu'est-ce qu'Élodie va pouvoir faire pendant ses vacances ? Notez les numéros.

Images n° ....

// **PISTE 62** ❯ 2ᴇ ÉCOUTE

6. Choisissez « vrai », « faux » ou « on ne sait pas ».

	Vrai	Faux	?
1. Élodie a deux frères.	☐	☐	☐
2. Elle veut aller à la mer.	☐	☐	☐
3. Virginie, c'est sa copine.	☐	☐	☐
4. Les vacances à la montagne, ce n'est pas cher.	☐	☐	☐
5. Martin va faire du ski avec son copain.	☐	☐	☐
6. Il a bien travaillé ces derniers mois.	☐	☐	☐
7. Élodie n'aime pas la mer l'hiver.	☐	☐	☐
8. Toute la famille va à la mer.	☐	☐	☐
9. Ils vont en vacances en hiver.	☐	☐	☐
10. Élodie va prendre son maillot de bain.	☐	☐	☐
11. Elle va sûrement se baigner.	☐	☐	☐
12. La mère a envie de vacances calmes.	☐	☐	☐
13. Élodie veut se reposer.	☐	☐	☐
14. Elle a des chaussures de marche.	☐	☐	☐
15. Loïc aime faire des randonnées.	☐	☐	☐
16. La mère d'Élodie est d'accord avec sa fille.	☐	☐	☐

OUTILS

La comparaison avec le verbe

Gérard <u>travaille</u> **plus que** moi. Il <u>parle</u> **plus** avec Lisa **qu'**avec moi. Il l'<u>écoute</u> **plus que** moi.
Louis <u>mange</u> **autant que** moi. Il <u>joue</u> **autant** avec Jean **qu'**avec moi. Il le <u>regarde</u> **autant que** moi.
Arthur <u>travaille</u> **moins que** moi. Il <u>danse</u> **moins** avec Marie **qu'**avec moi. Il l'<u>aime</u> **moins que** moi.

Les vacances

Pendant les vacances, on se promène, on fait une randonnée avec des chaussures de marche et un sac à dos, on se repose, on prend l'air.
• À la montagne, on va aux sports d'hiver, on fait du ski (on skie).
• À la mer, on se baigne, on nage. On bronze. On prend un bain de soleil. On porte des lunettes de soleil et un maillot de bain.

// **PISTE 62** ❭ 3ᴱ ÉCOUTE

7. Complétez les phrases.

1. Les parents de Virginie peuvent dépenser .... pour les vacances.

2. Il travaille ....

3. Il s'amuse ....

4. Je vais .... à la mer .... à la montagne

5. Tu t'amuses .... Loïc .... avec Martin !

// **PISTE 62** ❭ 4ᴱ ÉCOUTE

8. Répondez aux questions ou choisissez la bonne réponse.

1. Où Virginie va-t-elle pendant les vacances ? Avec qui ?

....

2. Où Martin va-t-il pendant les vacances ?

....

3. Avec qui part-il ?

....

4. Élodie pense que Martin...
☐ a de la chance de partir.　　☐ doit être triste de partir.　　☐ ne mérite pas de partir.

5. Où Élodie va-t-elle pendant les vacances ? Avec qui ?

....

6. Quand Élodie va-t-elle exactement partir en vacances ?

....

7. Élodie n'est pas très contente de ce projet de vacances, parce que...
☐ elle voudrait partir avec Virginie.　　☐ ses frères ne viennent pas.　　☐ il ne va pas faire assez chaud.

8. La mère d'Élodie conseille à sa fille d'emporter quatre choses. Quelles choses ?
1 - ....　　2 - ....
3 - ....　　4 - ....

9. Avec qui préfère-t-elle faire des randonnées ?　☐ Loïc　☐ Martin

1 2 3 4

5 6 7 8

// **PISTE 63** 1ʳᴱ ÉCOUTE

9. Retrouvez les photos de vacances de Stéphanie.

Photos n° ....

// **PISTE 63** 2ᴱ ÉCOUTE

10. Répondez aux questions.

1. Pourquoi l'amie de Stéphanie veut-elle voir les photos de vacances ?

....

2. Est-ce qu'il y a beaucoup de gens sur la plage ?

....

3. Quels arbres peut-on voir sur la plage ?

....

4. Comment sont le village, les rues et les maisons ?

....

5. Pourquoi Stéphanie n'a-t-elle pas envoyé beaucoup de cartes postales à son amie ?

....

6. Qui est le jeune homme sur la photo ?

....

7. Quel cadeau Stéphanie a-t-elle rapporté à son amie ?

....

8. Pourquoi les deux amies rient-elles à la fin du dialogue ?

....

OUTILS

La comparaison avec le nom

Mon ami a **plus de** <u>vacances</u> **que** moi. Il passe **moins de** <u>temps</u> en vacances **qu'**au travail.
Joëlle écrit **autant de** <u>lettres</u> **que** moi. Elle écrit **autant de** <u>lettres</u> à Alain **qu'**à moi.

C'est / il y a

il y a + nom
il y a présente quelque chose ou quelqu'un.
Dans la ville, il y a des voitures,
il y a des immeubles, il y a des touristes...

c'est + nom
c'est donne une explication sur quelque chose
ou quelqu'un.

– *Qu'est-ce que c'est ? <u>C'est</u> une voiture.*
– *Qui est-ce ? <u>C'est</u> mon frère.*
– *Ça, <u>c'est</u> un immeuble.*
– *Regarde ces gens ! <u>Ce sont</u> des touristes*

Les souvenirs de vacances

On envoie des cartes postales aux amis, on fait des photos, on les classe dans un album pour se souvenir de tout, on rapporte des souvenirs aux amis (des cadeaux).

// **PISTE 63** ❯ 3ᴱ ÉCOUTE 🔘

11. Comparez.

1. Le nombre de touristes sur la plage ici et le nombre de touristes sur la plage de la photo.

....

2. La quantité de soleil ici et la quantité de soleil sur cette plage.

....

3. Le nombre de palmiers ici et le nombre de palmiers sur cette plage.

....

4. Le nombre de voitures ici et le nombre de voitures dans ce village.

....

5. Le nombre de cartes postales que Stéphanie a envoyées à son amie l'année dernière et cette année.

....

6. Le choix d'articles dans la boutique de souvenirs et le choix d'articles dans un grand magasin.

// **PISTE 63** ❯ 4ᴱ ÉCOUTE 🔘

11. Répondez aux questions et justifiez vos réponses.

1. Est-ce que ces vacances sont importantes pour Stéphanie ?
☐ Oui / ☐ non ....

2. Est-ce que l'amie de Stéphanie veut voir ses photos de vacances ?
☐ Oui / ☐ non ....

3. Est-ce que Stéphanie aime les plages avec beaucoup de touristes ?
☐ Oui / ☐ non ....

4. Est-ce que Stéphanie a eu un bon contact avec le marchand de souvenirs ?
☐ Oui / ☐ non ....

5. L'amie de Stéphanie est surprise par son cadeau.
☐ Oui / ☐ non ....

Bilan

DELF A2

25 POINTS

Écoutez les documents. Cochez les propositions exactes ou répondez aux questions.

// Piste 64

Document 1 (2 écoutes)   5 POINTS

1. Qu'est-ce qui va être fermé à Montpellier ?... 1 POINT

2. Quels sont les horaires de fermeture ? ☐ de 20h à 5h ☐ de 21h à 5h ☐ de 21h à 6h   1 POINT

3. Pourquoi va-t-on fermer ce lieu ?   1 POINT

   ☐ pour le sécuriser   ☐ pour le moderniser   ☐ pour le réorganiser

4. Où peut-on acheter les billets pendant les travaux ?   1 POINT

a ☐   b ☐   c ☐

5. Pendant les travaux, la caféteria est...   1 POINT
   ☐ ouverte jusqu'à minuit.   ☐ fermée le jour et la nuit.   ☐ ouverte le jour, fermée la nuit.

// Piste 65

Document 2 (2 écoutes)   6 POINTS

1. Pourquoi l'avion va–t-il avoir du retard ?.. 1 POINT

2. Avec quel moyen de transport la femme va-t-elle revenir de l'aéroport ?   1 POINT

a ☐   b ☐   c ☐   d ☐

3. Quelles sont les deux qualités de ce moyen de transport ?   2 POINTS

....

4. Qu'est-ce que la femme a commandé ?... 1 POINT

5. Où se trouve le magasin ?... 1 POINT

a ☐   b ☐   c ☐   d ☐

Document 3 (2 écoutes)   6 POINTS

1. Le journaliste donne la météo ☐ a. de la semaine prochaine. ☐ b. du week-end prochain.   **1 POINT**

2. Quel temps va-t-il faire dans le sud ?   **1 POINT**

a ☐   b ☐   c ☐

3. À Marseille, la pluie est tombée... ☐ a. ce matin. ☐ b. cette nuit. ☐ c. cet après-midi.   **1 POINT**

4. Quelle image correspond à la situation à Marseille ?   **1 POINT**

a ☐   b ☐   c ☐

5. Quelle température fait-il en Bretagne ? ....   **2 POINTS**

Document 4 (2 écoutes)   8 POINTS

1. Combien de temps les parents de Patrick sont-ils restés en Espagne ? ....   **1 POINT**

2. Où ont-ils habité pendant ces vacances ? ....   **1 POINT**

a ☐   b ☐   c ☐

3. Ce mode d'hébergement est... ☐ a. cher. ☐ b. pas très cher. ☐ c. bon marché.   **1 POINT**

4. Que vont faire les enfants ? ....   **2 POINTS**

5. Que faut-il apporter ? ....   **2 POINTS**

6. Comment vont-ils aller en Espagne ? ....   **1 POINT**

TOTAL

Comptez vos points

→ **VOUS AVEZ PLUS DE 20 POINTS :** BRAVO ! C'est très bien. Vous pouvez passer à l'unité suivante.

→ **VOUS AVEZ PLUS DE 13 POINTS :** C'est bien, mais écoutez une fois de plus le document, regardez encore vos erreurs, puis passez à l'unité suivante.

→ **VOUS AVEZ MOINS DE 13 POINTS :** Vous n'avez pas bien compris cette unité, reprenez-la complètement (avec les corrigés), puis recommencez l'auto-évaluation. Bon courage !

TRANSCRIPTION DES ENREGISTREMENTS

UNITÉ 1

LEÇON 1

PISTE 1 ////////////////////////// **PAGE 6**

Animateur : Bonsoir, ici Radio Sud, je vous présente nos invités de ce soir. Andrea, vous êtes italien, vous avez 34 ans, vous êtes médecin et vous habitez où ?

Andrea : À Montpellier.

Animateur : Jane, vous habitez à Paris mais vous êtes anglaise, vous êtes coiffeuse. Vous avez quel âge ?

Jane : 32 ans.

Animateur : Frédéric, vous êtes électricien à Marseille, vous avez 50 ans et quelle est votre nationalité ?

Frédéric : Je suis belge.

Animateur : Dimitri, vous êtes russe mais vous travaillez à Lille, vous êtes professeur, vous avez 38 ans.

Dimitri : C'est ça.

Animateur : Et enfin... Yuko... Yuka... excusez-moi, comment vous vous appelez ?

Yuki : Yuki.

Animateur : Alors Yuki, vous êtes japonaise, vous avez 22 ans et vous êtes étudiante à Lyon. Vivre en France...

PISTE 2 ////////////////////////// **PAGE 8**

Patrice : C'est vert, on traverse.

Bon, qu'est-ce qu'on fait, on va à la piscine ?

Sophie : Ah non je suis fatiguée.

Patrice : Bon, on va au restaurant chinois ?

Sophie : Non, je n'ai pas faim.

Patrice : On va au cinéma alors.

Sophie : Bof, pour voir quel film ? Oh regarde, c'est Julien. Julien ! Julien !

Julien : Salut !

Sophie et Patrice : Salut !

Sophie : Qu'est-ce que tu fais ici ?

Julien : Tu vois, je fais du vélo. Et vous, vous allez où ?

Patrice : Oh, Sophie est fatiguée, on rentre à la maison.

Julien : Moi, je vais au théâtre.

Sophie : Qu'est-ce que tu vas voir ?

Julien : Une comédie musicale.

Sophie : Ah super, une comédie musicale ! On va avec Julien ?

Patrice : Mais, tu n'es pas fatiguée ?

PISTE 3 ////////////////////////// **PAGE 9**

M. Dupont : Mademoiselle Sicart, on va au restaurant pour déjeuner ?

Mlle Sicart : Non M. Dupont, je ne mange pas à midi, je vais à la piscine.

M. Dupont : Ah vous allez à la piscine pour nager, c'est bien !

Mlle Sicart : Non non, j'y vais pour faire de la gymnastique dans l'eau. Et vous, vous faites du sport ?

M. Dupont : Oui avec ma femme, le week-end.

Mlle Sicart : Tout le week-end ? Bravo !

M. Dupont : Non pas le samedi. Le samedi je fais les courses, je fais la cuisine...

Mlle Sicart : Vous faites le ménage ?

M. Dupont : Ah non, ça c'est ma femme. Mais le dimanche nous allons à la montagne pour faire de la randonnée.

Mlle Sicart : Moi je fais du sport tous les jours mais pas le week-end.

M. Dupont : Le week-end vous restez à la maison ?

Mlle Sicart : Non je vais chez des amis pour déjeuner ou dîner.

M. Dupont : Et le samedi soir vous allez en boite ?

Mlle Sicart : Pour danser, bien sûr !

PISTE 4 ////////////////////////// **PAGE 10**

Jeanne : Bonjour, c'est pour un passeport.

L'employé : Votre nom s'il vous plaît ?

Jeanne : Mérieux.

L'employé : Comment ça s'écrit ?

Jeanne : M.E.R.I.E.U.X.

L'employé : Quel est votre nom de jeune fille ?

Jeanne : Pairon. P.A.I.R.O.N.

L'employé : Prénom ?

Jeanne : Jeanne.

L'employé : Date de naissance ?

Jeanne : Le 13 mai 1965.

L'employé : Vous êtes née où ?

Jeanne : À Lille.

L'employé : Situation de famille ?

Jeanne : Mariée, 3 enfants.

L'employé : Qu'est-ce que vous faites dans la vie ?

Jeanne : Je suis fleuriste.

L'employé : Adresse ?

Jeanne : 6 rue Voltaire à Lyon.

L'employé : Est-ce que vous avez les trois photos ?

Jeanne : Oui, voilà.

L'employé : Merci... Vous remplissez ce formulaire et vous signez s'il vous plaît.

Jeanne : D'accord. Est-ce que je peux avoir mon passeport rapidement ?

L'employé : Il faut au minimum 3 semaines Madame.

Jeanne : Mais...excusez-moi, vous n'êtes pas Paul Tessier ?

L'employé : Mais si ... Ah Jeanne ! Tu es toujours aussi belle !

Jeanne : Oh je vieillis! Et toi, toujours célibataire ?

L'employé : Je suis divorcé, j'ai un garçon... Il a 25 ans.

Jeanne : Eh oui, les enfants grandissent vite.

LEÇON 2

PISTE 5 ////////////////////////// PAGE 12

Mère d'Alice : Alice tu sors ce soir ?

Alice : Oui maman, je mange chez Antoine, enfin chez ses parents.

Mère d'Alice : Mais tu connais ses parents ?

Alice : Ben non, c'est la première fois qu'Antoine m'invite.

Mère d'Alice : Tu mets ta petite robe rouge ?

Alice : Ah je ne sais pas... Peut-être mon pantalon noir...

Mère d'Alice : Je préfère ta robe rouge, c'est plus chic !

Alice : Bon d'accord, tu m'accompagnes chez Antoine avec ta voiture ?

Mère d'Alice : Pas de problème, tu connais son adresse ?

Alice : Euh...non... je sais que ce n'est pas très loin...

Mère d'Alice : ...mais tu ne sais pas exactement où il habite !

Alice : Bon, je téléphone à Antoine pour lui demander son adresse.

Mère d'Alice : C'est parfait ma fille !

Alice : Qu'est-ce que j'apporte à ses parents ?

Mère d'Alice : Des fleurs pour sa mère, c'est très bien.

Alice : D'accord !

Mère d'Alice : Comment tu vas rentrer après le dîner ?

Alice : Ben, en voiture avec le frère d'Antoine. Il a 20 ans.

PISTE 6 ////////////////////////// PAGE 14

Marie : Pierre, on prend encore un petit café et on retourne au travail ?

Pierre : D'accord Marie. Eh regarde, c'est Jacques avec sa fille, elle est belle.

Marie : Ce n'est pas sa fille, c'est Inès sa femme.

Pierre : Tu es sûre ? Elle est très jeune.

Marie : Jacques aime les femmes jeunes, brunes et minces.

Pierre : Tu vois le petit chauve avec des lunettes ? C'est Georges, un collègue.

Marie : Je ne le connais pas. Mais qu'est-ce qu'il fait ? Il lit un livre en chinois ?

Pierre : Il apprend le chinois et il parle bien, mais je ne comprends rien.

Marie : Tiens, voilà mon nouveau directeur, monsieur Maurin. C'est un bel homme.

Pierre : Tu trouves qu'il est beau ?

Marie : Oh oui, il est blond, il est grand...

Pierre : Il est un peu gros.

Marie : Mais pas du tout. Et il a des yeux bleus...

Pierre : Je le connais, il prend le métro avec moi tous les jours.

Marie : Tu connais aussi la femme qui est devant la porte ?

Pierre : La femme brune avec des cheveux longs ? C'est Sandra, elle travaille avec moi.

Marie : Mais qu'est-ce qu'elle attend ?

Pierre : Je crois qu'elle m'attend. Allez au travail !

PISTE 7 ////////////////////////// PAGE 16

L'homme : Bon, maintenant, on choisit : Sophie, Olivier ou Léa ?

La femme : J'aime bien Léa. Elle est sympathique, gentille, amusante...

L'homme : Oui mais moi, je préfère Olivier. C'est un garçon sérieux et intelligent...

La femme : Ah, mais, Léa n'est pas stupide ! Elle fait des études de médecine. Si Max est malade, c'est utile.

L'homme : Je ne dis pas qu'elle est stupide, je dis qu'Olivier a beaucoup de qualités.

La femme : Et Sophie ? Moi je la trouve très intéressante. Elle lit beaucoup.

L'homme : Oh non, elle est ennuyeuse et antipathique. Elle parle toujours, elle sait tout.

La femme : Oui mais elle conduit. Elle peut emmener Max à la plage avec sa voiture.

L'homme : C'est vrai, mais pour promener Max dans la rue le soir, tu ne préfères pas un jeune homme ?

La femme : Si, tu as raison. Alors on prend Olivier ?

L'homme : Tu es d'accord Max ?

Le chien : Ouaff ouaff !

La femme : Mais est-ce qu'Olivier aime les chiens ?

L'homme : Bien sûr, il adore les chiens. Surtout les chiens joyeux comme Max.

Le chien : (bruits de chien qui s'agite et joue)

La femme : Joyeux mais pas très calme !

LEÇON 3

PISTE 8 ////////////////////////// PAGE 18

La femme : Bonjour, vous êtes le papa de Zoé ?

L'homme : Oui, bonjour.

La femme : Je suis la maman de Cyril. Je fais une petite fête pour son anniversaire.

L'homme : Très bien. C'est quand ?

La femme : Le 27 mars.

L'homme : C'est quel jour ? Un mercredi ?

La femme : Oui, mercredi après-midi.

L'homme : À quelle heure ?

La femme : À 15 heures. Nous habitons au 12 avenue de la mer, au troisième étage.

L'homme : Parfait. Et cette petite fête finit à quelle heure ?

La femme : À 17h.

L'homme : Ah, j'ai un petit problème. Je sors du bureau à 17h30 et j'ai 20 minutes de métro.

La femme : Oh si vous arrivez plus tard, ce n'est pas grave.

L'homme : Ah ben c'est gentil, alors à mercredi.

PISTE 9 ///////////////////////// PAGE 19

La cliente : C'est combien le café, s'il vous plaît ?

Le serveur : Un euro cinquante.

La cliente : Voilà. ... Excusez-moi, mais vous finissez à quelle heure ?

Le serveur : À 19 heures.

La cliente : Vous aimez le jazz.

Le serveur : Oui.

La cliente : J'ai deux places pour un concert et mon amie est malade. Ça vous intéresse ?

Le serveur : Bien sûr ! On se retrouve où et à quelle heure ?

La cliente : Eh bien, rendez-vous à 20 heures ici.

PISTE 10 ///////////////////////// PAGE 20

La femme : Tu ne dors pas ?

L'homme : J'écris l'heure de mon rendez-vous.

La femme : Quand est-ce que tu as rendez-vous ?

L'homme : Aujourd'hui, et avec un client important.

La femme : À quelle heure vous avez rendez-vous ?

L'homme : À 18h30, à mon bureau.

La femme : Et aujourd'hui, quel jour sommes-nous Mathieu ?

L'homme : C'est mardi.

La femme : Oui, mardi 15 juin.

L'homme : Aaah, mais c'est notre anniversaire de mariage !

La femme : Eh oui, 25 ans. Et toi, tu as un rendez-vous !

L'homme : Oui mais je suis libre à 20h.

La femme : On dîne au restaurant ?

L'homme : Excellente idée.

La femme : Mais on va où ?

L'homme : Au Palais de la mer.

La femme : Tu es fou. Combien coûte le repas ?

L'homme : 150 euros, je ne sais pas. Peut-être 200 euros.

La femme : C'est trop cher.

L'homme : Mais non, 25 ans de mariage c'est important !

La femme : Tu as raison. Je mets ma belle robe bleue ce soir?

L'homme : C'est parfait, et on se retrouve à 20h30 au restaurant.

La femme : D'accord, je vais venir en taxi.

PISTE 11 ///////////////////////// PAGE 22

L'animateur : Aujourd'hui, 21 septembre, c'est la Journée nationale de la ville à vélo.

Il est midi, et il y a beaucoup de gens ici avec leurs vélos, ils viennent pour ce grand rendez-vous, sur la place de la Comédie. Bonjour monsieur, d'où venez-vous ?

Un homme : Je viens de Pérols, un village à 10 km d'ici.

L'animateur : Pourquoi faites-vous du vélo ?

Un homme : J'adore ça. J'aime la nature, le silence. J'ai une voiture mais je préfère le vélo.

L'animateur : Vous allez au travail en vélo ?

Un homme : Bien sûr !

L'animateur : Bravo ! Ce sont vos enfants ?

Un homme : Oui, mes enfants et leur cousine, et ils sont tous ici avec leurs vélos.

L'animateur : Et vous madame, vous venez d'où ?

Une dame : Nous venons de Palavas, je suis avec mon mari et nos deux enfants.

■ BILAN PAGES 24-25

PISTE 12

Document 1

Chers clients, bienvenue dans votre magasin Le grand marché. Nous vous informons que le magasin sera ouvert dimanche 20 mars de 10 h à 15 h pour une vente exceptionnelle de vélos pour enfants. Si vous achetez deux vélos, le magasin vous donne deux places gratuites pour le Cinéma des Enfants.

PISTE 13

Document 2

L'homme : Je voudrais quelques informations sur le voyage. Combien de villes nous allons visiter ?

La femme : Vous allez visiter 5 villes. Vous allez passer deux nuits dans chaque ville.

L'homme : Combien coûte ce voyage ?

La femme : 820 euros monsieur.

L'homme : Il faut payer plus pour le petit-déjeuner ?

La femme Non monsieur. Le petit-déjeuner est compris.

L'homme : Une dernière question : est-ce qu'il est nécessaire d'avoir un passeport, un visa... ?

La femme Seulement votre passeport monsieur !

PISTE 14

Document 3

Bonjour Maxime, c'est. Julie. Mardi c'est l'anniversaire de Lisa, alors on va faire une fête chez ses parents. On va tous arriver à 7h pour attendre Lisa dans le jardin. Elle va arriver à 7h30. Et là : surprise... on entre tous dans la maison en chantant : « Bon anniversaire ». On va lui acheter un nouveau téléphone portable, il coûte 330 euros.

PISTE 15

Document 4

Dialogue 1

– Papa, où est-ce qu'elle travaille maman ?
– Ici mon chéri, elle est infirmière, elle s'occupe des malades.

Dialogue 2

– Mais qu'est-ce qu'elle a cette voiture ?
– Papa, il est huit heures, on va arriver en retard à l'école.
– Je sais Thomas, on va prendre le bus.

Dialogue 3

– Regarde papa, c'est Yasmina, ma copine.
– Je vois 3 filles, Thomas.
– Yasmina, c'est la petite avec des cheveux longs et noirs.

Dialogue 4

– Mais ... on ne prend pas la voiture papa ?
– Non, aujourd'hui on va à l'école en vélo, allez monte !
– Super !

UNITÉ 2

LEÇON 1

PISTE 16 ////////////////////// PAGE 26

La voisine : Alors, madame Mignot, vous avez beaucoup de temps libre maintenant. Vous vous levez tard ?

Mme Mignot : Oh non, le matin je me lève tôt comme d'habitude, mais maintenant, je ne me dépêche plus ! Je prends mon petit déjeuner tranquillement. Après, je me douche, je m'habille et je m'occupe de mon chat.

La voisine : Et qu'est-ce que vous faites ? Vous n'allez plus au bureau !

Mme Mignot : Non, je vais au marché.

La voisine : Et à midi, où déjeunez-vous ?

Mme Mignot : Je mange chez moi, je fais la cuisine.

La voisine : Seule ?

Mme Mignot : Pas du tout, j'ai des amis.

La voisine : Et l'après-midi, vous faites quoi ? Vous vous reposez ?

Mme Mignot : Je me repose un peu et après je me promène.

Le soir, je suis fatiguée, alors, je m'assois dans mon fauteuil, et je regarde la télévision.

La voisine : Seule ?

Mme Mignot : Oh, mais, vous êtes bien curieuse vous !

PISTE 17 ////////////////////// PAGE 28

1

Homme : Bonjour mademoiselle, vous avez rendez-vous ?

Femme : Oui, je suis la nouvelle standardiste.

Homme : Avec qui avez-vous rendez-vous ?

Femme : Avec madame Lefranc, à huit heures, mais je suis toujours en avance.

2

Femme : Monsieur Lebœuf, vous êtes souvent en retard.

Homme : Oui madame, je suis désolé.

Femme : Avec qui travaillez-vous aujourd'hui ?

Homme : Avec la secrétaire.

3

Homme : Qui s'occupe du dossier Langlois ?

Femme : Ma collègue, mademoiselle Pérault, mais elle est absente aujourd'hui.

Homme : Ah bon ?

Femme : Oui, quelquefois elle va au tribunal le lundi.

4

Homme : Mais qu'est-ce que tu as ?

Femme : Je suis en colère ! Le nouveau stagiaire s'assied toujours sur mon bureau, ça m'énerve !

Homme : Oui, mais il est gentil.

5

Homme : Où est le courrier mademoiselle Rosier ?

Femme : Sur les dossiers monsieur le directeur. Il est toujours sur les dossiers.

Homme : Merci beaucoup mademoiselle.

6

Femme : Francis, avec qui tu déjeunes quand tu travailles ?

Homme : Avec mes collègues de bureau. Souvent, le mercredi, on va au restaurant. Et toi ?

Femme : Moi de temps en temps, je rentre à la maison.

7

Femme : Monsieur Marchand, vous vous souvenez de notre rendez-vous ?

Homme : Oh zut ! J'ai une réunion à 10 heures ! Je suis rarement en retard, mais aujourd'hui.... vous êtes libre à 14 heures ?

PISTE 18 ////////////////////// PAGE 30

Un homme : Tu as de bonnes relations avec tes collègues ?

Une femme : Excellentes ! Quelquefois le samedi soir on

mange au restaurant, on discute... C'est bien, on se parle plus qu'au bureau. C'est différent.

Un homme : Ah, c'est sympa.

Une femme : De temps en temps, on fait un pique-nique, avec la famille. On se promène à la campagne... Et toi, tu ne sors pas avec tes collègues ?

Un homme : Non, rarement. On ne se déteste pas mais...

Une femme : Nous on s'aime bien, on se téléphone et on se rencontre souvent le week-end.

Un homme : Moi le week-end, j'aime bien rester tranquille. Je fais du bricolage dans la maison, je répare des petites choses.

Une femme : Et ta femme, elle bricole aussi ?

Un homme : Non ! elle fait du jardinage, elle adore les fleurs. Et une fois par mois on rend visite à mes parents. Ils habitent à la montagne. On fait un grand repas avec mes frères et sœurs.

LEÇON 2

Piste 19 ////////////////////////// Page 32

Et maintenant, quelques règles de politesse.

Règle n° 1 : Quand vous êtes invité chez des Français, vous devez apporter quelque chose. Vous pouvez offrir des fleurs, par exemple, ou une bouteille de bon vin.

Règle n° 2 : Si vous arrivez en retard, vous devez vous excuser et dire : « Excusez-moi, madame, excusez-moi, monsieur, je suis désolé. »

Règle n° 3 : Quand on vous présente quelqu'un, vous devez dire : « Bonjour madame, bonjour monsieur, enchanté. »

Règle n° 4 : Si vous êtes un homme, vous devez vous lever quand on vous présente une femme.

Règle n° 5 : Vous ne devez pas fumer dans la maison ou l'appartement. Si vous voulez fumer, vous devez sortir dans la rue ou dans le jardin.

Règle n° 6 : Pendant le dîner, vous ne devez pas commencer à manger avant la maîtresse de maison.

Règle n° 7 : Après le dîner, vous ne pouvez pas dormir sur le canapé.

Règle n° 8 : Enfin, quand vous voulez partir, vous devez remercier la maîtresse de maison.

Piste 20 ////////////////////////// Page 34

1

Claire : Julie, tu peux venir chez moi samedi soir ?

Julie : Volontiers Claire ; mais pourquoi ?

Claire : Pour faire la fête ! C'est mon anniversaire.

Julie : D'accord ! Je peux venir avec mon mari ?

Claire : Bien sûr ! Tu peux venir avec lui et avec tes filles aussi !

2

Claire : Paul, tu es libre samedi soir ?

Paul : Ah non, désolé, je ne suis pas libre. Pourquoi ?

Claire : Parce que c'est mon anniversaire.

Paul : Je regrette mais je dois aller chez mes parents.

Claire : Tu peux venir après ?

Paul : Non, ce samedi, je dîne chez eux avec ma sœur. Et après, je dois dormir chez elle.

Claire : C'est dommage !

3

Claire : Gaëlle, je fais une petite fête samedi soir, tu veux venir ?

Gaëlle : Je regrette mais je ne peux pas.

Claire : Pourquoi ?

Gaëlle : Parce que ma fille est malade. Je dois rester avec elle.

Claire : Et ton mari, il ne peut pas s'occuper d'elle ?

Gaëlle : Non, il est en voyage.

4

Claire : Lucas, qu'est-ce que tu fais samedi ?

Lucas : Je vais peut-être regarder le match à la télé. Pourquoi ?

Claire : Parce que j'invite des amis pour mon anniversaire. Tu peux venir ?

Lucas : Avec plaisir ! Je suis toujours content de faire la fête avec toi.

Claire : Je suis très contente. Et, si ton frère est libre, tu peux venir avec lui.

Piste 21 ////////////////////////// Page 36

– Mesdames et messieurs, vous voulez partir en voyage ? Vous voulez un sac à dos pratique, solide, et pas trop cher ?

– Le voilà, madame, il est assez grand pour partir trois semaines en voyage avec votre mari et vos quatre enfants.

– Comment ? Il n'est pas assez grand ? Alors, vous devez prendre aussi la valise ! Elle est grande, très légère et utile pour toute la famille !

– Alors madame, vous voulez essayer mon sac à dos ? Très bien ! Vous payez le sac et la valise 48 euros et vous emportez ce magnifique stylo gratuit pour écrire des cartes postales à vos amis !

– Et vous, monsieur, vous voulez un sac à main pour votre femme ? Voilà un joli sac en cuir, très pratique et léger. Et il est bon marché, monsieur, 17 euros ! Et avec le sac, vous emportez un petit porte-monnaie gratuit !

LEÇON 3

Piste 22 ////////////////////////// Page 38

Une femme : Oh Léa, je suis fatiguée, on s'arrête ?

Léa : Si tu veux.

Une femme : Comment tu fais pour être en forme comme ça ?

Léa : Ben, je fais du sport, je mange assez... mais je ne mange pas trop, je me couche tôt...

Une femme : Moi, je voudrais maigrir un peu, mais c'est difficile.

Léa : Fais quelque chose ! Cours un peu, nage, fais de la gymnastique !

Une femme : C'est fatigant, et puis j'ai toujours faim.

Léa : Fais attention ! Ne va pas au restaurant, bois beaucoup, de l'eau bien sûr, et mange des légumes.

Une femme : Et puis j'adore les gâteaux !

Léa : Ne rentre pas dans les pâtisseries, ne regarde pas les gâteaux et achète des fruits.

Une femme : Et le soir, dans les discothèques, qu'est-ce que je peux boire ?

Léa : Ah ! ne bois pas d'alcool et puis, ne sors pas trop le soir et va au lit plus tôt !

Une femme : Oh finalement, je préfère être grosse !

Piste 23 ////////////////////////// Page 40

Professeur : Allez, levez-vous et courez ! 1, 2, 1, 2... Plus vite ! Ne vous arrêtez pas, Françoise, continuez.

Françoise : Je ne peux pas, j'ai mal aux pieds !

Professeur : Maintenant, asseyez-vous, levez les bras, rentrez le ventre. Robert ! le ventre !

Robert : Je ne peux pas, je mange trop.

Professeur : Et oui ! Levez les bras, baissez les bras, tournez la tête à droite, à gauche, ne tournez pas le corps. Marie, on se repose ?

Marie : Non, mais j'ai mal au dos.

Professeur : Levez-vous. Touchez vos pieds avec vos mains, gardez les jambes bien droites. Bien, Suzanne.

Robert : C'est facile pour Suzanne, elle est mince !

Professeur : Bon, maintenant, couchez-vous sur le tapis.

Robert : Ah, enfin !

Professeur : Fermez les yeux, respirez tranquillement, relaxez-vous. C'est fini pour aujourd'hui.

Piste 24 ////////////////////////// Page 42

Un homme : Bonjour Docteur.

Une femme Dr : Bonjour monsieur Lemaire, asseyez-vous. Alors, qu'est-ce qui se passe ?

Un homme : Oh, ça ne va pas du tout, docteur. J'ai mal à la gorge, je tousse beaucoup, je suis fatigué et je crois que j'ai un peu de fièvre.

Une femme Dr : Bon, je vais regarder ça. Ouvrez la bouche..., faites AAA..., oui, c'est bien... toussez... Vous avez une belle angine !

Un homme : C'est grave, docteur ?

Une femme Dr : Non, ce n'est pas grave, mais je vous conseille de rester au lit deux ou trois jours.

Un homme : Mais j'ai beaucoup de travail, docteur.

Une femme Dr : Le travail peut attendre, monsieur Lemaire, vous êtes malade ! Vous devez vous reposer un peu.

Un homme : Oui docteur... Je pense que vous avez raison.

Une femme Dr : Alors, vous allez prendre quelques jours de repos. Je ne vous donne pas trop de médicaments... Voilà l'ordonnance. Prenez trois comprimés le matin, à midi et le soir, avant les repas.

Un homme : Bien, docteur.

Une femme Dr : Allez, monsieur Lemaire, rentrez vite à la maison et reposez-vous !

Un homme : Merci docteur. Je paie à la secrétaire, comme d'habitude ?

Une femme Dr : Oui, merci. Au revoir, monsieur Lemaire.

Un homme : Au revoir, docteur.

■ BILAN PAGES 44-45

Piste 25

Document 1

La maman : Les enfants ! Chloé, Clément, allez au lit, c'est l'heure !

Le fils : Ah non maman ! Je veux regarder un peu la télévision. C'est samedi !

La fille : Oh oui maman ! C'est samedi, on peut se coucher tard ! Une fois par semaine, c'est normal !

La maman : Oui, mais demain matin, vous devez vous réveiller tôt.

La fille : Pourquoi ? On va où ?

La maman : Chez vos cousins.

Le fils : Ah non, on va toujours chez eux le dimanche !

La maman : Non, tu exagères ! De temps en temps, on va chez ta tante Clara.

La fille : Oui, c'est vrai, mais nous, on voudrait aller à la mer.

Piste 26

Document 2

Clément : Allo Chloé ?

Chloé : Oui, bonjour Clément, comment vas-tu ?

Clément : Bien merci. Je vais au cinéma ce soir, tu veux venir avec moi ?

Chloé : Qu'est-ce que tu vas voir ?

Clément : Le dernier film de Bertrand Tavernier.

Chloé : Je suis désolée mais j'ai rendez-vous avec Manon à six heures. Elle est un peu déprimée.

Clément : Viens avec elle !

Chloé : Oui, pourquoi pas ?

Clément : Je vous attends à huit heures et demie devant le cinéma. Essayez d'arriver à l'heure !

Piste 27

Document 3

Journaliste : Bonjour mademoiselle Lenoir. Vous êtes notre nouvelle miss France et je suis très content de vous recevoir aujourd'hui. Vous êtes étudiante je crois ?

Miss France : Bonjour. Oui, je suis étudiante en littérature.

Journaliste : Pouvez-vous nous parler de vos journées ?

Miss France : Oh, je vis normalement, comme tout le monde ! Je me lève tôt le matin, je me prépare, je vais à l'université et j'étudie. Généralement, je suis trop fatiguée le soir pour sortir. Tous les week-ends, je rencontre mes amis, on sort ensemble, on se promène, on va danser. Et, si je dois rester à la maison pour travailler, on se téléphone.

Journaliste : Et maintenant que vous êtes miss France ?

Miss France : Oh, je ne sais pas encore. C'est une nouvelle vie pour moi !

PISTE 28

Document 4

– Jean-Marc Duval, c'est à vous pour les conseils du week-end.

– Merci Florence, vous êtes une présentatrice parfaite.

Alors, ce week-end, si vous ne vous levez pas trop tard samedi, vous pouvez aller à Pézenas pour le rendez-vous sportif de septembre. Vous devez être là-bas à huit heures et tout le monde peut courir : les enfants, les parents et les grands-parents. À midi, faites un pique-nique, et l'après-midi, visitez la ville de Pézenas. C'est une très belle ville. Le soir, ne partez pas, choisissez un petit restaurant et essayez la cuisine du Sud. Attention, ne buvez pas trop de vin et ne vous couchez pas trop tard parce que dimanche matin, vous devez visiter le Salon du bricolage à Béziers. L'après-midi, allez au cinéma, il y a un très bon film, parfait pour toute la famille : *Le Monde de la mer*. Et voilà pour le week-end. Mais, vous ne voulez pas sortir peut-être ? Alors, restez avec nous et écoutez maintenant Paul notre ami médecin et ses conseils pour être en forme.

UNITÉ 3

LEÇON 1

PISTE 29 ///////////////////////// PAGE 46

Femme 1 : Marion, tu connais l'appartement de Nathalie ?

Femme 2 : Oui, je le connais, elle m'invite quelquefois. Et toi ?

Femme 1 : Non, je ne le connais pas. Il est bien ?

Femme 2 : Très bien. C'est un deux-pièces dans un petit immeuble. Il y a une entrée, un grand salon, une belle chambre, une cuisine et une très jolie salle de bains.

Femme 1 : Moi, je voudrais déménager, mon studio est trop petit.

Femme 2 : Oui, c'est vrai, mais je l'aime bien, il est agréable.

Femme 1 : Oui, mais je voudrais un F 1 avec une chambre séparée parce que je voudrais vivre avec Julien.

Femme 2 : Oui, je te comprends, Carole.

Femme 1 : Et toi, où tu habites maintenant ?

Femme 2 : Moi, j'habite avec deux copains dans une maison. On a trois chambres, un salon et deux salles de bains, mais je voudrais un grand jardin.

Femme 1 : Et les copains, tu les vois beaucoup ?

Femme 2 : Non, pas trop, mais je les entends, ils sont musiciens.

PISTE 30 ///////////////////////// PAGE 48

Femme : Tu vas à la mer en juillet ?

Homme : Ah non, on part trois semaines à New York, il faut changer un peu !

Femme : Mais les hôtels sont très chers là-bas.

Homme : On ne va pas à l'hôtel, on va chez des Américains.

Femme : Vous les connaissez bien ?

Homme : On ne les connaît pas du tout. Ils viennent habiter dans notre maison et nous prenons leur appartement.

Femme : Ça, c'est une excellente idée. Et qu'est-ce qu'il faut faire pour ça ?

Homme : Il faut avoir une jolie maison ou un bel appartement et il faut une adresse sur Internet.

Femme : Tu as des photos de l'appartement ?

Homme : Oui, je les ai ici, regarde. Il est grand, confortable et dans un immeuble très moderne.

Femme : Il n'est pas trop sombre ?

Homme : Pas du tout, il est très clair, c'est au dernier étage.

Femme : Il n'est pas trop bruyant ?

Homme : Si, un peu, il est au centre-ville.

Femme : Ça m'intéresse, comment il faut faire pour avoir des informations ? Il faut écrire ? Il faut téléphoner ?

PISTE 31 ///////////////////////// PAGE 50

Femme : Alors voilà, je cherche un grand appartement à louer.

Homme : Au centre-ville ou en banlieue ?

Femme : Au centre-ville mais dans un quartier calme.

Homme : J'ai un F 5 rue des Deux-Ponts au 5e étage avec ascenseur.

Femme : Parfait, je voudrais le visiter aujourd'hui, c'est possible ?

Homme : Impossible, l'ancien locataire doit le nettoyer, vous pouvez le visiter vendredi.

Femme : C'est dommage.

Homme : J'ai un F 4 place de la Comédie au 3e étage, toutes les fenêtres donnent sur la place.

Femme : C'est pas mal, je peux le voir ?

Homme : Pas aujourd'hui, le propriétaire est absent et je n'ai pas les clés.

Femme : Bon, autre chose ?

Homme : J'ai un F 3 rue des Roses au rez-de-chaussée.

Femme : Mais, c'est petit et ce n'est pas au centre-ville.

Homme : Oui mais il est libre et j'ai les clés, nous pouvons le visiter maintenant.

LEÇON 2

PISTE 32 ////////////////////////// PAGE 52

La femme A : J'aime beaucoup le salon !

L'homme : Et voilà la cuisine équipée, entrez mesdames ! Vous avez une cuisinière avec un grand four...

La femme A : Ah oui, il est vraiment grand !

L'homme : Ici vous avez un frigo avec un congélateur et un lave-vaisselle. Et l'évier est très grand...

La femme B : Oui, c'est bien, et tu as beaucoup de place libre. Là tu peux mettre ta cafetière, ton grille-pain...

La femme A : Ça c'est vraiment très pratique.

L'homme : Ça vous plaît madame ?

La femme A : Oh oui, ça me plaît beaucoup, mais... je dois parler à mon mari.

La femme B : Eh bien tu lui envoies une photo.

La femme A : Maintenant ?

La femme B : Bien sûr ! Et tu lui téléphones pour avoir son opinion.

La femme A : Tu as raison. Excusez-moi, je lui parle une minute et je reviens. Allo Stéphane...

La femme B : Elle doit lui parler parce que son mari est cuisinier. Alors vous comprenez, la cuisine est une pièce importante.

L'homme : C'est évident.

La femme B : Elle a un mari formidable : il fait la cuisine, il fait les courses...

PISTE 33 ////////////////////////// PAGE 54

Homme : Sophie, où es-tu ?

Sophie : Dans la salle de bains.

Homme : Mais, qu'est-ce que tu fais ?

Sophie : J'en ai marre, je vais tout changer ici.

Homme : Mais qu'est-ce que tu vas changer ? C'est très bien comme ça.

Sophie : Je vais peindre les murs en bleu comme la mer.

Homme : C'est tout ?

Sophie : Non, je vais changer la baignoire.

Homme : Et pourquoi ?

Sophie : Elle est trop vieille, je vais mettre une douche, c'est plus pratique.

Homme : On va avoir de la place alors. On va installer le lave-linge ici.

Sophie : Pourquoi pas ?

Homme : Tu ne veux pas changer le lavabo ?

Sophie : Mais si, je vais mettre deux lavabos et un grand miroir.

Homme : Et qui va payer ?

Sophie : C'est toi, mon chéri, mais je vais t'aider.

PISTE 34 ////////////////////////// PAGE 56

Clément : Bon Alice, le lit, je le mets où ?

Alice : Ici, à côté de la fenêtre.

Clément : Tu es sûre ?

Alice : Oui, et mets la table de nuit à droite du lit... voilà... Ce n'est pas mal ?

Clément : Oui... c'est bien. Mais où on va mettre l'armoire ?

Alice : En face du lit ?

Clément : Oui, pourquoi pas ? Oh hisse...

Alice : Tu sais, Clément... c'est très bien !

Un jeune homme : Bonjour tout le monde ! Mais, qu'est-ce que vous faites ?

Clément : Ben, on change les meubles de place !

Un jeune homme : Ah je vois ! Eh ben c'est pas terrible !

Alice : Moi, ça me plaît !

Clément : Moi aussi ! Viens voir le salon ; la télé sous la table basse, c'est super !

Un jeune homme : Oui, mais on ne peut pas la voir du canapé, ça c'est pas génial.

Alice : Tu exagères ! Assieds-toi sur le fauteuil et regarde. Super, non ?

Un jeune homme : Et pourquoi vous ne mettez pas la télé dans la chambre, devant l'armoire ? C'est trop petit ici !

Alice : Ah non alors, ça c'est nul !

LEÇON 3

PISTE 35 ////////////////////////// PAGE 58

La fille : Maman, je voudrais te dire quelque chose... Je vais prendre un appartement avec Julien.

La mère : Pourquoi, tu n'es pas bien ici ?

La fille : Si, mais je voudrais vivre avec Julien.

La mère : Et qui va payer le loyer ?

La fille : Julien va le payer, il travaille.

La mère : Et le ménage, tu détestes le faire ?

La fille : Oui mais, Julien sait le faire. Sa mère lui demande souvent de le faire chez eux.

La mère : Et le repassage ?

La fille : Julien va le faire, il adore ça.

La mère : Et les courses, tu ne les fais pas ici ?

La fille : C'est vrai, mais Julien les fait très bien. Il aime beaucoup les supermarchés.

La mère : D'accord, mais Julien ne sait pas faire la cuisine et toi non plus.

La fille : Pas de problème ! Sa mère va lui donner des recettes et lui expliquer comment faire.

La mère : Moi aussi je peux t'expliquer.

La fille : Non merci, c'est inutile.

La mère : Il est parfait ce garçon, tu es sûre qu'il veut habiter avec toi ?

PISTE 36 ////////////////////////// PAGE 60

Juliette : À quoi tu penses, Romain ? Tu rêves ?

Romain : Non, je cherche un petit cadeau pour une amie. Elle fait une fête samedi dans sa nouvelle maison, donne-moi une idée.

Juliette : Achète-lui un tapis pour sa salle de bains.

Romain : Tu crois ?

Juliette : Mais oui, chez Tapitout ils ont des tapis ronds de toutes les couleurs, jaunes, verts, rouges, prends-le là-bas.

Romain : Bon, sa salle de bains elle est rose avec des fleurs vertes...

Juliette : Aïe aïe aïe... Eh bien offre-lui une petite lampe pour sa chambre.

Romain : Elle a peint sa chambre en bleu, je prends une lampe comment ?

Juliette : Prends-la bleue ou blanche, c'est bien.

Romain : Ah, mais je crois qu'elle a déjà une lampe sur sa table de nuit.

Juliette : Bon, alors offre-lui un vase, achète-lui des fleurs, mets-les dans le vase et voilà !

Romain : Ce n'est pas très original.

Juliette : D'accord, j'ai une autre idée. Téléphone-lui, dis-lui que tu es malade, reste à la maison et ne lui achète pas de cadeau.

Romain : Ah, c'est drôle !

PISTE 37 ////////////////////////// PAGE 62

Le chef : Messieurs-dames, merci de votre attention.

Le chef : Je voudrais vous inviter samedi à 13 heures pour visiter nos nouveaux bureaux.

Un homme : Et... où se trouvent-ils ?

Le chef : Près de l'aéroport, c'est très pratique.

Une femme : Vous pouvez nous indiquer le chemin ?

Le chef : Oui, bien sûr. Quand vous sortez du centre-ville, vous traversez la rivière et vous prenez la direction de Montpellier. Vous allez tout droit jusqu'à un rond-point. Là, vous prenez la troisième route à droite et vous suivez les indications pour aller à l'aéroport. Vous passez un deuxième rond-point, et au troisième, vous tournez tout de suite à

droite. Vous continuez tout droit une centaine de mètres et après le magasin de meubles, vous tournez à gauche. C'est le sixième bâtiment sur votre droite.

Un homme : Excusez-moi, au premier rond-point il faut tourner où ? À la deuxième ou à la troisième à droite ?

Le chef : La troisième, il y a une indication : « aéroport ». Pas d'autres questions ?

Tous : Non, ça va.

Le chef : Alors à samedi.

Tous : À samedi.

■ BILAN PAGES 64-65

PISTE 38

Document 1

– Pouvez-vous me donner des informations ?

– Bien sûr. Nous vous proposons un grand nombre d'appartements au centre-ville de Lyon, à acheter ou à louer. Actuellement nous avons deux très beaux appartements à louer, l'un au dernier étage d'un immeuble moderne, l'autre au deuxième étage d'un immeuble ancien.

Vous pouvez voir les photos sur notre site et si un appartement vous plaît, venez le visiter mais n'oubliez pas de prendre rendez-vous avec l'un de nos agents. Notre agence est ouverte du lundi au vendredi de 9h à 19h, et le samedi de 10h à 13h.

PISTE 39

Document 2

Bonjour Mélanie, voilà j'ai visité un appartement. Il est pas mal, il a une belle cuisine équipée avec un frigo et un lave-vaisselle, une chambre assez grande, une salle de bain avec une belle douche et un salon. Alors voilà le salon est joli mais un peu petit et pas très clair. Eh oui il a seulement une petite fenêtre. L'appartement me plait mais je pense que le salon n'est pas assez clair. Est-ce que tu peux le visiter avec moi ? Je voudrais avoir ton avis. On se retrouve demain à l'agence ? Rappelle-moi s'il te plait.

PISTE 40

Document 3

Bonjour maman, je t'ai envoyé une photo, tu peux voir la maison que nous voulons acheter. Elle est située à côté de la rivière. Après le pont, tu prends la route à gauche et c'est la sixième maison. Tu vois derrière il y a un joli parc, c'est très calme. La maison est petite mais il y a un grand jardin devant. Les enfants sont très contents, ils vont avoir de la place pour jouer. Et pour moi c'est parfait, j'adore courir au bord de la rivière. Bisous.

PISTE 41

Document 4

L'agent immobilier : Bon, très bien. Alors, je dois vous dire que c'est un appartement parfait pour un ou deux étudiants. Il est à côté des universités, et à cinq minutes du centre-ville. Bien, nous allons commencer la visite. Voici l'entrée, à droite vous avez la salle de bains...

Une jeune fille : La couleur... c'est pas terrible. On peut la changer ?

L'agent immobilier : Oui... pourquoi pas ? Bon, ici, vous avez la chambre avec une grande fenêtre. Elle donne sur un jardin, c'est très calme.

Un jeune homme : Ce n'est pas très grand.

L'agent immobilier : Oui, mais qu'est-ce que vous allez mettre ? Un lit, une armoire, une table de nuit...

Un jeune homme : Oui, ... c'est vrai.

L'agent immobilier : À gauche de l'entrée, vous avez un beau salon avec deux grandes fenêtres.

Une jeune fille : Et en face, qu'est-ce que c'est cette construction ?

L'agent immobilier : La ville va faire une salle de spectacles, je crois.

Un jeune homme : C'est un quartier bruyant ?

L'agent immobilier : Non. Bon, on continue. Voilà la cuisine, petite mais pratique.

Une jeune fille : Oui, c'est pas mal.

L'agent immobilier : Alors, ça vous intéresse ?

Les deux jeunes : Ah oui... oui... bien sûr... beaucoup...

UNITÉ 4

LEÇON 1

PISTE 42 ////////////////////////// PAGE 66

Homme : Très bien, je crois que nous allons faire du bon travail ensemble !

Garçon : Bonjour messieurs-dames, qu'est-ce que vous prenez ?

Homme : Ah moi, j'ai faim ! Donnez-moi un petit déjeuner complet avec du jus d'orange et du café, s'il vous plaît.

Garçon : Vous préférez du pain ou des croissants ?

Homme : Du pain, avec de la confiture et du beurre.

Garçon : Et vous, mademoiselle ?

Jeune fille : Je voudrais un café, s'il vous plaît.

Homme : Ah mademoiselle, pour bien travailler, il faut bien déjeuner le matin !

Jeune fille : Je sais bien, mais le matin je n'ai pas faim.

Garçon : Et vous, monsieur ?

Jeune homme : Donnez-moi aussi un petit déjeuner complet, avec du thé et des œufs.

Garçon : Ah non monsieur ! Nous ne servons pas d'œufs le matin. Nous ne sommes pas en Angleterre.

Jeune homme : Alors, donnez-moi un petit pain au chocolat.

Garçon : Je suis désolé, nous n'avons pas de pain au chocolat.

Jeune homme : Les croissants sont bons ?

Garçon : Bien sûr, monsieur.

Jeune homme : Alors je vais prendre un croissant.

Garçon : Vous voulez du lait ?

Jeune homme : Non merci, je ne bois pas de lait.

Garçon : Je vous apporte tout ça.

Homme : Pas très aimable ce garçon !

PISTE 43 ////////////////////////// PAGE 68

Mélanie : Tu veux encore de la salade, Félix ? Il en reste.

Félix : Avec plaisir, j'adore la salade de champignons.

Mélanie : Bon, je vais chercher le deuxième plat.

Félix : On mange bien chez Mélanie.

Claire : C'est vrai, elle cuisine très bien.

Félix : Mmmm... Qu'est-ce que tu nous apportes, Mélanie ? Ça sent bon !

Mélanie : Ça, c'est une recette de ma grand-mère, c'est du poulet aux herbes de Provence.

Claire : Ah je connais... tu mets des tomates, des oignons, des carottes...

Mélanie : Non, non, non... des carottes il n'y en a pas, mais je mets des courgettes !

Claire : Et qu'est-ce qu'il y a d'autre... des olives noires ?

Mélanie : Non, il n'y en a pas.

Claire : Des olives vertes alors ?

Mélanie : Oui.

Claire : Du vin rouge ?

Mélanie : Mais pas du tout ! Il y a du vin blanc ! Allez, goûte !

Claire : Mmmm, c'est très bon !

Mélanie : Tu veux du pain ?

Claire : Non, merci, j'en ai.

Félix : Ce poulet est délicieux, Mélanie. Je peux en reprendre ?

Mélanie : Mais bien sûr, et il y a aussi des pommes de terre, prends-en ! Et toi, Claire, tu en veux ?

Claire : Non merci, donne-moi des tomates.

Mélanie : Tu veux de la sauce ?

Claire : Je n'en veux pas, merci.

Félix : C'est ex-cel-lent. ... Et qu'est-ce que nous allons manger comme dessert ?

Claire : Félix, calme-toi, voyons !

PISTE 44 ////////////////////////// PAGE 70

1

Une femme 1 : On a bien mangé au mariage de Luc et Sophie !

Une femme 2 : Ils ont fait un repas au restaurant ou à la maison ?

Une femme 1 : Au restaurant bien sûr, et après on a dansé toute la nuit.

2

Un homme : Tu as fini de préparer le repas ?

Une femme : Presque, et toi, tu as mis la table ?

Un homme : Oui bien sûr.

Une femme : Tu as choisi quelle nappe ?

Un homme : La blanche.

3

Une femme 1 : Ah Sylvie ! Tu as dîné avec ta sœur hier soir ?

Une femme 2 : Oui, et son mari a dormi sur le canapé.

Une femme 1 : Vous avez trop bu ?

Une femme 2 : Oh moi, tu me connais, je n'ai pas bu, mais lui...

4

Un homme : Tu as goûté la salade ?

Une femme : Non pourquoi ?

Un homme : Je crois que tu as oublié le sel.

Une femme : Mais Bruno, je n'ai pas fait la sauce !

5

Une femme : Quel dessert tu as acheté pour les invités ?

Un homme : J'ai pris une tarte aux pommes.

Une femme : Et tu as acheté des verres ?

Un homme : Quels verres ?

Une femme : Tu sais bien qu'on en a cassé !

Un homme : Ah zut ! J'ai oublié.

LEÇON 2

Piste 45 ////////////////////////// **Page 72**

François : Oh, j'en ai marre ! Quelle journée ! Bonsoir.

Noémie : Bonsoir, mais... tu n'as pas fait les courses ?

François : Si, mais je n'ai pas pu aller au supermarché, je n'ai pas eu le temps.

Noémie : Et tu as été où ?

François : À l'épicerie d'à côté. J'ai pris du café, des pâtes, du riz, de la farine et des œufs.

Noémie : Mais, tu n'as pas acheté le jambon et le fromage pour le pique-nique ?

François : Non, j'ai oublié. Tu sais, j'ai dû travailler jusqu'à 7 heures ce soir et après je n'ai pas voulu aller au supermarché. Mais... Où tu as acheté ce bouquet de fleurs ?

Noémie : Il est superbe, non ?... C'est un cadeau.

François : Noémie, qui t'a offert ces fleurs ?

Noémie : Devine...

François : Je ne sais pas, moi !

Noémie : Un homme...

François : – Bon ça va, qui est-ce ?

Noémie : Tu le connais... Il est gentil, élégant, charmant... On a pris un verre ensemble cet après-midi...

François : Oh, tu m'énerves, moi je travaille, je fais les courses, et toi...

Noémie : Quoi moi ? C'est mon père, idiot ! Et aujourd'hui c'est mon anniversaire !

François : Tu crois que je l'ai oublié ? Regarde !

Noémie : Oh François !... C'est magnifique !

Piste 46 ////////////////////////// **Page 74**

Le marchand : C'est à vous ma petite dame, qu'est-ce que je vous sers ?

La cliente : Je voudrais un beau melon, s'il vous plaît.

Le marchand : Ah, ils sont bons mes melons ! Vous en avez pris un hier, je vous reconnais.

La cliente : Oui, c'est vrai, ils sont excellents.

Le marchand : Et avec ça ?

La cliente : Mettez-moi un kilo de courgettes.

Le marchand : Voilà, j'en ai un kilo cent, ça va ?

La cliente : Ça va.

Le marchand : Ensuite ?

La cliente : Donnez-moi deux paquets de café, une boîte de petits pois, et du sel.

Le marchand : Alors, le café... les petits pois... le sel. Autre chose ?

La cliente : Oui, je vais prendre trois tranches de jambon.

Le marchand : Très bien. Regardez, elles sont très fines, j'en mets quatre ?

La cliente : Oui... mettez-en cinq !

Le marchand : D'accord. C'est tout ?

La cliente : Oui, c'est tout.

Le marchand : Alors, un melon : 1 euro 60 ; les courgettes, 1 euro 80 ; le café, j'en ai mis deux paquets, donc 3 euros 70 ; les petits pois, il y en a une boîte, ça fait 1 euro 90 ; le sel 55 centimes et le jambon 5 euros 30, vous en avez 350 grammes ! Ça vous fait 14 euros et 85 centimes.

Piste 47 ////////////////////////// **Page 76**

Une femme : Salut Nicole, ça va, tu as fini tes courses ?

Nicole : Pas du tout. Je suis partie tôt ce matin mais je suis passée chez le poissonnier pour commander un plateau de fruits de mer, et je suis restée là-bas quarante minutes !

Une femme : Toi, tu es allée chez le coiffeur hier.

Nicole : Oui, hier matin, ça te plaît ?

Une femme : Beaucoup. Tu sais où je peux trouver des soupes.

Nicole : Oui, il y en a au rayon des surgelés. Elles sont bonnes.

Une femme : Pourquoi vous n'êtes pas venus au tennis jeudi dernier ?

Nicole : On est sorti tard du bureau avec Fred et on est allé au nouveau supermarché, tu sais, près de l'université.

Une femme : Et alors ?

Nicole : Bof ! C'est très grand, il y a un parking de trois étages, mais ça n'a pas été facile de trouver une place. On est monté et on est descendu trois fois !

Une femme : Vous avez fait vos courses là-bas ?

Nicole : Oui et non, on a rempli le chariot, on est arrivé à la caisse, et quand on a vu la queue... on a laissé le chariot et on est parti sans les courses. Alors, la semaine dernière, on a mangé des pâtes et du riz !

LEÇON 3

PISTE 48 ///////////////////////// PAGE 78

1

Le client : Vous avez des magazines de mots croisés ?

La vendeuse : Oui, j'en ai beaucoup. Vous connaissez Motus ?

Le client : Non, je ne le connais pas. C'est bien ?

La vendeuse : Très bien.

Le client : Bon, je le prends. Donnez-moi aussi deux timbres pour les États-Unis.

La vendeuse : Ah, désolée, je n'en ai plus.

2

La femme : Vous avez de la fièvre ?

L'homme : Oui, je crois que j'en ai un peu.

La femme : Je vais vous donner de l'aspirine, mais n'en prenez pas trop. Et, allez voir le médecin.

L'homme : Oui, je vais en prendre ce soir. J'ai rendez-vous chez le médecin demain à quatorze heures.

La femme : C'est plus prudent. Il y a beaucoup d'angines en ce moment.

3

La femme : Le nouveau livre d'Amélie Nothomb, vous l'avez ?

L'homme : Oui, je l'ai. Il est arrivé hier. Il a déjà beaucoup de succès.

La femme : J'en voudrais dix.

L'homme : Dix ! Mais je n'en ai pas assez !

La femme : Vous pouvez me les commander pour la semaine prochaine ?

L'homme : Oui, bien sûr. Mais pourquoi dix ?

4

L'homme : On prend des gâteaux pour ce soir ?

La femme : Oui, mais n'en prends pas trop. Tu sais que les enfants n'en mangent pas.

L'homme : Tu les choisis ?

La femme : Si tu veux. Moi, j'aime beaucoup la tarte au citron.

L'homme : Moi, j'en veux un au chocolat.

La femme : Ah, regarde ! Il y a aussi des bonbons. On en prend un peu pour les enfants ?

PISTE 49 ///////////////////////// PAGE 80

Marianne : Jérôme, on va au centre commercial, j'ai besoin d'un pull.

Jérôme : Encore ! mais tu en as au moins vingt.

Marianne : Oh, tu exagères !

Jérôme : Marianne, aujourd'hui, tu t'es changée trois fois !

Marianne : Oui mais ce matin, je me suis habillée en blanc et il a plu...

Jérôme : Et alors ?

Marianne : Alors le blanc quand il pleut, ce n'est pas bien, c'est trop triste.

Jérôme : Donc, tu t'es déshabillée, et tu as mis un pull rouge.

Marianne : Oui, mais... le rouge, ça ne me va pas.

Jérôme : Et maintenant avec le bleu, tu es très bien ?

Marianne : Oui mais... hier, je me suis promenée dans le centre commercial et j'en ai vu un très beau, gris.

Jérôme : Mais enfin, tu ne vas pas acheter un pull encore !

Marianne : Non, mais j'ai envie de l'essayer. J'adore le gris. Tu te souviens quand on s'est rencontré, le joli pull gris ?

Jérôme : Oui, je me souviens... tu n'as pas changé...

Marianne : Alors, tu viens avec moi ?

PISTE 50 ///////////////////////// PAGE 82

La vendeuse : Je peux vous aider, madame ?

La cliente : Peut-être, je ne trouve jamais ce que je veux.

La vendeuse : Qu'est-ce que vous cherchez ?

La cliente : Je cherche un ensemble chic et assez léger. Ce n'est plus la saison, je sais mais, vous en avez encore ?

La vendeuse : Bien sûr, madame, nous en avons encore beaucoup. Vous faites quelle taille ?

La cliente : 40

La vendeuse : Voilà, j'ai une veste et un pantalon en soie très habillés.

La cliente : Ça me plaît beaucoup, je vais les essayer.

La vendeuse : La cabine est à droite, madame, je vous en prie.

La cliente : Il y a quelqu'un dans la cabine, elle est fermée ?

La vendeuse : Non non, il n'y a personne, vous pouvez entrer. ... Alors, ça va ?

La cliente : Non, le pantalon est trop serré. Je crois que j'ai un peu grossi et le 40 ne me va plus. Vous avez du 42 ?

La vendeuse : Pas de problème, j'en ai. Et la veste, elle vous va bien ?

La cliente : Oui mais, je voudrais l'essayer avec un foulard.

La vendeuse : Il y en a toujours un dans la cabine.

La cliente : Ah bon, je ne vois rien.

La vendeuse : Alors quelqu'un l'a volé.

PISTE 51

Document 1

Salut Julie, c'est Nina ! Je vais arriver vers sept heures ce soir. J'ai fait les courses. J'ai acheté du poisson, de la salade et un gâteau au chocolat. On peut faire du riz aussi si tu veux. J'en ai pris un paquet. Je n'ai pas pu te téléphoner ce matin parce que je me suis réveillée trop tard. Je n'ai pas entendu le réveil. J'ai pris le train de huit heures quinze et je suis arrivée en retard au travail. J'espère que tu as pensé à inviter Mathieu et Thomas. À ce soir, je t'embrasse.

PISTE 52

Document 2

Pour être en forme toute la journée, vous devez prendre un bon petit-déjeuner le matin. Je vous conseille de boire un jus de fruit, un jus d'orange par exemple. Vous pouvez manger du pain avec du beurre ou de la confiture, ou bien un croissant ou un pain au chocolat. Mais pensez aussi aux œufs, au fromage ou au yaourt, ils sont très bons pour votre santé. Vous pouvez boire du thé ou du café avec un peu de lait. Si vous avez besoin de sucre, n'en mettez pas trop ! Enfin, Prenez le temps de déjeuner calmement !

Pour avoir des conseils personnalisés, téléphonez au 06 92 57 61 14. Pour réécouter tous nos conseils pour une bonne alimentation, appelez le 09 63 13 84 36.

PISTE 53

Document 3

Répondeur – Bonjour, notre magasin ouvre du lundi au samedi, de dix heures à dix neuf heures trente. Si vous le souhaitez, vous pouvez laisser un message.

Cliente – Bonjour. J'ai acheté trois pantalons dans votre magasin la semaine dernière, mais ... je voudrais en changer un. Il est un peu trop large et ... trop court. Je ne l'ai jamais porté, il est encore neuf. Quand je suis arrivée chez moi, je l'ai essayé encore une fois et ... il ne me va pas très bien. J'en ai vu un autre dans le magasin, ... rouge, assez élégant, taille 38, ... j'ai envie de l'essayer. Pouvez-vous le garder s'il vous plaît ? Je vais passer au magasin cet après-midi. Merci. À tout à l'heure.

PISTE 54

Document 4

Régis : Hé Pascal ! Tu as vu ma veste ?

Pascal : Super, elle te va bien, tu l'as achetée où ?

Régis : Je suis allé au centre commercial samedi.

Pascal : Ah, je ne vais jamais là-bas.

Régis : Moi non plus, mais je suis passé devant et je suis entré pour voir.

Pascal : Et alors ?

Régis : Alors j'ai vu des vestes dans une vitrine et j'en ai acheté une.

Pascal : C'est bien. Moi, je ne fais plus les magasins le samedi, il y a trop de monde.

Régis : Alors qu'est-ce que tu as fait, tu es resté chez toi ?

Pascal : Non, on s'est levé tard avec Béatrice et on est allé au restaurant, au bord de la mer.

Régis : Nous, on a dîné chez ma mère, elle nous a fait du cassoulet.

Pascal : Ah ! C'est délicieux le cassoulet !

Régis : Oui, mais j'en ai trop mangé...

Pascal : Comme d'habitude, Régis ! Tu ne sais pas t'arrêter.

Régis : Oui mais dimanche, je suis resté au lit jusqu'à midi. Je n'ai rien fait, je me suis reposé...

Pascal : Moi aussi j'ai besoin de me reposer, tu ne veux pas faire mon travail ?

UNITÉ 5

LEÇON 1

PISTE 55 ///////////////////////// PAGE 86

– Radio capitale, bonjour.

– Quelques informations sur la circulation aujourd'hui.

– Les conducteurs de bus et de métro font une grande manifestation qui bloque les rues de la ville. Attention aux embouteillages !

– Il y a peu de bus qui circulent. Les numéros 118, 115 et 121, qui vont vers le sud-est de la capitale, roulent normalement.

– Dans les stations de métro, il y a beaucoup de gens qui attendent sur les quais mais il y a peu de métros. Choisissez un autre moyen de transport.

– Un bon conseil pour les automobilistes : laissez votre voiture au garage. Les gens qui doivent aller en ville peuvent prendre leur vélo. N'oubliez pas de rouler sur les pistes cyclables qui traversent la ville.

– Les personnes qui n'ont pas envie de faire du vélo peuvent prendre un taxi. C'est très pratique.

– Et enfin, les piétons, qui sont nombreux aujourd'hui, vont être contents. Il fait très beau dans la capitale.

PISTE 56 ///////////////////////// PAGE 88

Le guide : Là, nous sommes devant la cathédrale Saint-Pierre qui date du XIIIe siècle.

Une femme : Tiens, la tour de droite est plus petite que la tour de gauche !

Le guide : Oui, c'est exact... Nous arrivons maintenant à la faculté de médecine. Elle est aussi ancienne que la cathédrale.

Une femme : Et est-ce qu'elle est meilleure que la faculté de Paris ?

Le guide : Ça, je ne sais pas, madame... En face, vous pouvez voir le palais des Princes qui est devenu un musée. Il n'est pas aussi riche que le musée du Louvre mais il est intéressant... Nous allons passer sur le pont des Dames, avec ses deux statues de femmes à droite et à gauche. Et nous arrivons au château qui date du XVIIIᵉ siècle.

Un homme : Oh ! Il est moins beau et moins grand que le château de Versailles.

Le guide : Il est moins grand, mais il n'est pas moins beau que le château de Versailles. Il est différent. Derrière, vous voyez un grand parc avec une fontaine magnifique. Et maintenant, on s'arrête pour visiter le château.

Une femme : Bonne idée !

PISTE 57 /////////////////////// **PAGE 90**

Le policier : Asseyez-vous, mademoiselle. C'est pour quoi ?

La demoiselle : J'ai perdu mon passeport.

Le policier : Quand ?

La demoiselle : Aujourd'hui.

Le policier : Vous êtes sûre ?

La demoiselle : Oui, ce matin, je suis allée à la poste pour chercher un paquet que mon frère m'a envoyé et j'ai dû montrer mon passeport au guichet.

Le policier : Bien. Qu'est-ce que vous avez fait après ?

La demoiselle : Je suis passée à la banque pour retirer de l'argent.

Le policier : Vous avez peut-être laissé votre passeport là-bas ?

La demoiselle : Non, j'ai téléphoné à une employée que je connais et elle ne l'a pas vu.

Le policier : Et ensuite ?

La demoiselle : Je suis allée à l'université pour rencontrer une amie que je vois tous les lundis. On a pris un café et, quand j'ai cherché mon porte-monnaie qui est toujours dans mon sac, je n'ai pas vu mon passeport. Alors, je suis venue au commissariat.

Le policier : Comment êtes-vous allée à l'université ?

La demoiselle : En bus.

Le policier : Quelqu'un a peut-être volé votre passeport dans le bus ?

La demoiselle : Oui, peut-être.

Le policier : Bon, on va faire une déclaration de perte que vous allez porter à la préfecture pour demander un nouveau passeport. Votre nom ?...

LEÇON 2

PISTE 58 /////////////////////// **PAGE 92**

Véronique : Fabrice Morel, bonjour ! Quels voyages vous nous conseillez aujourd'hui ?

Fabrice Morel : Eh bien, d'abord un voyage organisé de dix jours au Canada. Vous arrivez à Montréal, puis vous allez au sud pour voir les lacs. Ensuite vous partez au nord du pays pour découvrir les forêts magnifiques et enfin vous allez à Québec.

Véronique : Est-ce qu'on a besoin d'un visa ?

Fabrice Morel : Non, pas pour le Canada. Pour avoir des renseignements, adressez-vous à l'agence de voyages Grand Nord.

Véronique : Un autre voyage, Fabrice ?

Fabrice Morel : Oui, l'agence Découverte vous propose un week-end en Italie, à Venise, très romantique ! Ou alors trois jours au Maroc, c'est très exotique.

Véronique : Une dernière destination ?

Fabrice Morel : Oui, mais pas à l'étranger, en France. L'agence Vatel vous propose un voyage gastronomique au sud de la France, de Marseille à Toulouse, pour goûter la cuisine du Sud. Alors, Véronique, quel voyage vous préférez ?

Véronique : Peut-être Venise... avec mon fiancé, mais je voudrais aussi aller aux Antilles. Vous avez des conseils ?

Fabrice Morel : La semaine prochaine !

PISTE 59 /////////////////////// **PAGE 94**

Le directeur : Mademoiselle Lefèvre, vous avez les horaires des TGV Paris-Bordeaux ?

La secrétaire : Oui monsieur.

Le directeur : Il y a un train vers 6 heures, mardi prochain ?

La secrétaire : Oui, il y en a un qui part de Paris à 6 h 15 et qui arrive à Bordeaux à 9h21.

Le directeur : Réservez-moi une place, s'il vous plaît.

La secrétaire : Un aller simple ?

Le directeur : Non, un aller-retour bien sûr.

La secrétaire : Pour le retour, vous avez un train à 19h47 et un autre à 19h51. Le premier ne met que 2h58 min pour faire le voyage... l'autre est moins rapide.

Le directeur : Réservez une place dans le premier.

La secrétaire : D'accord.

Le directeur : N'oubliez pas qu'il faut aller à l'aéroport demain soir !

La secrétaire : Pourquoi ?

Le directeur : Mais, monsieur Fernandez arrive de Bruxelles à 21h05. Il vient à Paris pour visiter notre magasin. Il ne va rester ici qu'une journée, après, il part à Madrid. Il faut organiser sa visite.

La secrétaire : On peut faire ça maintenant ?

Le directeur : Non, je dois recevoir monsieur Péret qui vient de Lyon, je suis libre seulement entre midi et deux heures.

La secrétaire : Bon, d'accord.

PISTE 60 /////////////////////// **PAGE 96**

L'employé : Voilà les billets d'avion et ça c'est la location de voiture.

La cliente : Merci. À minuit nous allons trouver quelqu'un à l'aéroport pour la voiture ?

L'employé : Oui, le responsable de l'agence, il y reste jusqu'à 2 heures du matin.

La cliente : Très bien, je voudrais aussi réserver deux chambres d'hôtel pour les deux premières nuits.

L'employé : Vous avez l'hôtel Alaska, trois étoiles, très confortable, au centre de Montréal.

La cliente : C'est parfait. L'hôtel a un restaurant ? On peut y manger ?

L'employé : Tout à fait. Et pour le reste du séjour, vous voulez réserver ?

La cliente : Non, nous allons faire du camping dans les forêts.

L'employé : Il doit y faire très froid !

La cliente : Mais non, nous y allons toujours en mai, nous y avons campé souvent avec les enfants.

L'employé : Et vous vous baignez dans les lacs ?

La cliente : Une fois nous avons essayé, mais... nous y sommes restés 15 secondes, c'est vraiment trop froid.

LEÇON 3

PISTE 61 ///////////////////////// PAGE 98

Le journaliste : Huit heures trente, c'est l'heure de notre bulletin météo. Ce matin, il fait gris et froid sur tout le nord de la France et sur la région parisienne. Les températures moyennes sont de trois degrés. Il y a beaucoup de nuages sur cette partie du pays. Il va y avoir des orages cet après-midi avec de fortes pluies. À l'ouest du pays, il pleut aussi ce matin et il va faire mauvais toute la journée. Alors, n'oubliez pas votre parapluie. Il a neigé cette nuit dans l'est et sur les Alpes, donc ce week-end, les skieurs vont trouver une belle neige sur ces montagnes. Enfin, dans le sud, il y a beaucoup de vent et donc, il n'y a pas de nuages. Il fait très beau, mais attention, il fait froid, moins deux degrés ce matin. La température va monter cet après-midi jusqu'à 9 degrés et le soleil va briller toute la journée.

PISTE 62 ///////////////////////// PAGE 100

La fille : Pendant les vacances, on va à la montagne ? Virginie, elle y va avec ses parents.

La mère : Je sais, mais les sports d'hiver, c'est cher. Les parents de Virginie peuvent dépenser plus que nous pour les vacances.

La fille : Et Martin, pourquoi il va faire du ski ?

La mère : Ton frère, il y va avec les parents de son copain.

La fille : Ce n'est pas juste. Il travaille moins que moi, et il s'amuse plus que moi.

La mère : Il a bien travaillé ce trimestre.

La fille : Et nous, on va où ?

La mère : À la mer.

La fille : La mer, l'hiver, ce n'est pas très intéressant.

La mère : Ce n'est pas l'hiver, c'est le printemps. Il fait beau en avril au bord de la Méditerranée.

La fille : Et qu'est-ce qu'on va faire là-bas ?

La mère : On va se promener sur la plage, bronzer... Prends tes lunettes de soleil et ton maillot de bain !

La fille : On ne va pas pouvoir se baigner, il fait trop froid.

La mère : Et puis moi, je suis fatiguée, je vais plus me reposer à la mer qu'à la montagne.

La fille : Moi je n'ai pas envie de me reposer.

La mère : Tu peux faire des randonnées avec ton frère dans la région. Prends tes chaussures de marche et ton sac à dos.

La fille : Loïc, il m'énerve, je préfère sortir avec Martin.

La mère : Élodie, tu exagères ! Tu t'amuses autant avec Loïc qu'avec Martin !

PISTE 63 ///////////////////////// PAGE 102

Stéphanie : Ah ces vacances, je ne vais pas les oublier !

Une jeune fille : Tu as fait des photos ?

Stéphanie : Bien sûr, tu veux les voir ?

Une jeune fille : Pourquoi pas ? Je veux rêver moi aussi.

Stéphanie : Regarde, ça c'est la plage.

Une jeune fille : Oh là là, il y a moins de touristes qu'ici !

Stéphanie : C'est super, il n'y a personne et il y a plus de soleil qu'ici.

Une jeune fille : Oui, il y a aussi plus de palmiers, c'est magnifique !

Stéphanie : Ça, c'est le village, c'est très exotique. Il y a des petites rues et de jolies maisons blanches.

Une jeune fille : Oui, il y a aussi moins de voitures que chez nous.

Stéphanie : Beaucoup moins !

Une jeune fille : L'année dernière, tu m'as envoyé plus de cartes postales que cette année !

Stéphanie : Ben, pendant ces vacances, je n'ai pas été très courageuse.

Une jeune fille : Dis-moi, Stéphanie, qui c'est ce garçon ?

Stéphanie : C'est le marchand de souvenirs. Il est très sympathique. Il y a autant de choix dans sa boutique que dans un grand magasin. Tiens, je t'ai rapporté un souvenir.

Une jeune fille : Qu'est-ce que c'est ?

Stéphanie : Regarde !

Une jeune fille : Oh non ! C'est un palmier en plastique !

■ BILAN PAGES 104-105

PISTE 64

Document 1

Mesdames et messieurs, votre attention s'il vous plaît. La SNCF vous informe que la gare de Montpellier va être fermée toutes les nuits, du 12 au 24 mars de 21h à 6h du matin en raison des travaux de modernisation de nos bâtiments. Pendant les travaux, la cafétéria et les guichets de la gare sont fermés jour et nuit, mais vous pouvez toujours acheter vos billets aux distributeurs automatiques. La SNCF vous remercie de votre compréhension et vous souhaite un excellent voyage.

PISTE 65

Document 2

Bonjour mon chéri, je t'appelle parce que mon avion a eu un problème technique, donc je suis encore à Paris et je pense que je vais avoir du retard. Ne viens pas me chercher à l'aéroport en voiture, je vais prendre un taxi, c'est plus pratique que le tramway et puis la nuit le taxi c'est plus sûr. Bon j'espère que je vais arriver assez tôt pour dîner avec tout le monde. N'oublie pas d'aller prendre le gâteau que j'ai commandé à la pâtisserie qui est près de la poste. Je l'ai déjà payé. Bisous, à ce soir.

PISTE 66

Document 3

Bonjour à tous, alors après une semaine de pluie, quel temps allons-nous avoir ce week-end ? Dans le sud pas de soleil, il va y avoir beaucoup de pluie et les températures vont baisser à cause du vent. À Marseille, il a plu beaucoup toute la nuit, alors ce matin tout le centre-ville est bloqué : il y a de l'eau partout. Les transports en commun ne circulent pas. Alors si vous voulez un peu de soleil, je vous conseille d'aller à l'ouest, en Bretagne par exemple, il y fait plus chaud que dans le sud : 16° mais ce n'est pas assez pour se baigner.

PISTE 67

Document 4

Charlotte : Tu sais, les parents de Patrick arrivent d'Espagne. Ils y sont restés deux semaines.

Marine : Ah bon ?

Charlotte : Oui, ils ont loué une grande maison sur une plage qui est seulement à 12 km de Grenade.

Marine : C'est sûrement cher !

Charlotte : Pas du tout. Nous, on va en louer une au mois d'août, c'est moins cher que l'hôtel et c'est plus confortable que le camping. Venez avec nous. C'est assez grand pour deux familles.

Marine : C'est une excellente idée Charlotte ! Les enfants vont pouvoir se baigner et moi je vais visiter Grenade. Mais, est-ce qu'il faut apporter quelque chose pour la maison ?

Charlotte : Rien, tu n'apportes que tes vêtements.

Marine : On y va en avion ?

Charlotte : Non, en voiture.

CORRIGÉS DES EXERCICES

UNITÉ 1 ///////////////////////////////////

LEÇON 1

Page 6, exercice 1 : n°s 4 – 5 – 1 – 3 – 2

Page 6, exercice 2 : 1er invité : F – F – V – **2e invité :** F – V – F – **3e invité :** F – F – V – **4e invité :** F – V – F – **5e invité :** F – V – F

Page 7, exercice 3 : Andrea : italien, 34 ans, médecin – **Jane :** anglaise, 32 ans, coiffeuse – **Frédéric :** belge, 50 ans, électricien – **Dimitri :** russe, 38 ans, professeur – **Yuki :** japonaise, 22 ans, étudiante

Page 7, exercice 4 : 1. A – **2.** B – **3.** A – **4.** B – **5.** A – **6.** B

Page 8, exercice 5 : images 2 et 4

Page 8, exercice 6 : 1. faux – **2.** faux – **3.** vrai – **4.** vrai – **5.** on ne sait pas – **6.** faux – **7.** vrai – **8.** faux – **9.** on ne sait pas – **10.**vrai

Page 8, exercice 7 : Patrice : 1, 6 – **Sophie :** 2, 3, 5 – **Julien :** 4

Page 9, exercice 8 : 1.- des collègues – **2.** marié – **3.** les courses et la cuisine – **4.** sa femme

Page 9, exercice 9 : 1. au restaurant – **2.** à la piscine – **3.** avec sa femme – **4.** de la randonnée – **5.** à la montagne – **6.** chez des amis – **7.** en boîte

Page 9, exercice 10 : 1. pour déjeuner – **2.** pour faire – **3.** pour faire – **4.** pour déjeuner ou dîner – **5.** pour danser

Page 10, exercice 11 : image 1

Page 10, exercice 12 : 1. dans un bureau, une administration – **2.** pour faire un passeport – **3.** oui

Page 10, exercice 13 : Mérieux – Jeanne – Pairon – 13 mai 1965 – Lille – mariée, trois enfants – fleuriste – 6 rue Voltaire, Lyon

Page 11, exercice 14 : 1. comment – **2.** quel – **3.** où – **4.** qu'est-ce que – **5.** est-ce que – **6.** est-ce que – **7.** remplissez – signez – **8.** vieillis – **9.** grandissent

Page 11 exercice 15 : 1. A – **2.** B – **3.** A – **4.** B

LEÇON 2

Page 12, exercice 1 : images 3 et 4

Page 12, exercice 2 : 1. faux – **2.** vrai – **3.** faux – **4.** vrai – **5.** vrai – **6.** faux – **7.** faux – **8.** on ne sait pas

Page 13, exercice 3 : 1. chez les parents d'Antoine – **2.** pour la première fois – **3.** son pantalon noir – **4.** sa petite robe rouge – **5.** l'adresse d'Antoine – **6.** des fleurs – **7.** 20 ans

Page 13, exercice 4 : 1. connais – **2.** sais – **3.** connais – **4.** sais – **5.** sais – **6.** fille – **7.** parents – **8.** mère – **9.** frère

Page 14, exercice 5 : Jacques : n°**6**, Inès : n°**8**, Georges : n°**1**, M. Maurin : n°**4**, Sandra : n°**9**.

Page 14, exercice 6 : 1. un petit café – **2.** la femme de Jacques – **3.** un collègue – **4.** un livre en chinois – **5.** le nouveau directeur

– **6.** prennent le métro – **7.** travaille avec Pierre

Page 14, exercice 7 : 1. belle – **2.** jeunes, brunes et minces – **3.** petit, chauve, avec des lunettes – **4.** beau, grand, blond – **5.** bleue – **6.** bleue – **7.** brune – **8.** longs

Page 15, exercice 8 : 1. prend / retourne – **2.** aime – **3.** connais – **4.** apprend / comprends – **5.** prend – **6.** attend – **7.** attend

Page 15, exercice 9 : 1. a – **2.** a – **3.** b – **4.** a – **5.** b – **6.** b

Page 16, exercice 10 : image n°2

Page 16, exercice 11 : Léa – sympathique, gentille, amusante – Olivier – sérieux, intelligent – Sophie – intéressante, ennuyeuse, antipathique – Max – joyeux – pas très calme.

Page 16, exercice 12 : 1. choisit – **2.** préfère – **3.** dis – **4.** trouve, lit – **5.** as, prend – **6.** es – **7.** adore

Page 17, exercice 13: 1. études de médecine – **2.** si Max est malade – **3.** elle lit beaucoup – **4.** elle parle beaucoup, elle sait tout – **5.** à la plage – **6.** dans la rue

Page 17, exercice 14 : plusieurs possibilités : **1.** Tu ne préfères pas un jeune homme ?/ Est-ce que tu ne préfères pas jouer ....? / Ne préfères-tu pas jouer... ? **2.** On prend Olivier ? Est-ce qu'on prend Olivier ? Prend-on Olivier ? – **3.** Tu es d'accord Max ? Est-ce que tu es d'accord Max ? Es-tu d'accord Max ? – **4.** Mais est-ce qu'Olivier aime les chiens ? Mais, Olivier aime-t-il les chiens ? Mais il aime les chiens Olivier ?

LEÇON 3

Page 18, exercice 1 : image n°2

Page 18, exercice 2 : 1. faux – **2.** vrai – **3.** vrai – **4.** faux – **5.** faux – **6.** vrai – **7.** vrai – **8.** faux

Page 18, exercice 3 : 1. le 27 mars – **2.** l'après-midi – **3.** à 15h – **4.** au troisième étage – **5.** à 17h – **6.** 17h30 – **7.** 20 mn

Page 19, exercice 4 : image n°1

Page 19, exercice 5 : 1. 1,50€ – **2.** à 19h – **3.** elle est malade – **4.** à 20h

Page 19, exercice 6 : 1. finissez – **2.** aimez – **3.** ai – **4.** retrouve

Page 19, exercice 7 : 1. b – **2.** a – **3.** a – **4.** b

Page 20, exercice 8 : images n°1, 5 et 6

Page 20, exercice 9 : 1. aujourd'hui – **2.** avec un client – **3.** à son bureau – **4.** mardi – **5.** c'est l'anniversaire de mariage – **6.** au restaurant – **7.** c'est trop cher – **8.** sa robe noire – **9.** en taxi

Page 21, exercice 10 : 1. 18h30 – **2.** 15 – **3.** 25 – **4.** 20h – **5.** 150, 200 – **6.** 25 – **7.** 20h30

Page 21, exercice 11 : 1. dors – **2.** écris – **3.** avez – **4.** sommes – **5.** suis – **6.** coûte – **7.** as, mets

Page 22, exercice 12 : image n°2

Page 22, exercice 13 : 1. le 21 septembre – **2.** la journée nationale de la ville à vélo – **3.** midi – **4.** sur une place – **5.** en vélo – **6.** 10 km – **7.** il aime la nature, le silence – **8.** oui – **9.** en vélo – **10.** ses enfants et leur cousine – **11.** son mari et ses deux enfants

Page 23, exercice 14 : 1. leurs – **2.** vos – **3.** mes, leur – **4.** leurs – **5.** mon, nos

Page 23 exercice 15 : 1. viennent – **2.** venez – **3.** viens – **4.** venez – **5.** veno,ns

Page 23, exercice 16 : 1. ville village – **2.** adore préfère – **3.** c'est sûr bien sûr – **4.** assis ici – **5.** mademoiselle madame

BILAN PAGES 24-25

Page 24, document 1 : 1. le Grand Marché – **2.** dimanche – **3.** 10h à 15h – **4.** des vélos d'enfants – **5.** deux places gratuites

Page 24, document 2 : 1. 5 villes – **2.** 820 euros – **3.** rien, c'est compris – **4.** un passeport

Page 25, document 3 : 1. mardi – **2.** chez les parents de Lisa – **3.** à 7h – **4.** dans le jardin – **5.** un téléphone portable – **6.** 330 euros

Page 25, document 4 : 1. F – **2.** A – **3.** C – **4.** D

UNITÉ 2 ///////////////////////////////////

LEÇON 1

Page 26, exercice 1 : 8 – 3 – 9 – 1 – 10 – 7 – 2 – 11 – 6 – 5 – 12 – 4

Page 26, exercice 2 : 1. F – **2.** F – **3.** F – **4.** V – **5.** V – **6.** F – **7.** F – **8.** V

Page 27, exercice 3 : 1. c – **2.** b – **3.** a – **4.** c – **5.** c

Page 27, exercice 4 : 1. D – **2.** E – **3.** A – **4.** B – **5.** C

Page 28, exercice 5 : 1. 4 – **2.** 2 – **3.** 5 – **4.** 3 – **5.** 1 – **6.** 7 – **7.** 6

Page 28, exercice 6 : 1. c – **2.** a – **3.** c – **4.** b – **5.** c – **6.** b – **7.** b

Page 29, exercice 7 : 1. toujours – **2.** souvent – **3.** quelquefois – **4.** toujours – **5.** toujours – **6.** de temps en temps – **7.** rarement

Page 29, exercice 8 : 1. la nouvelle standardiste – **2.** Avec la secrétaire – **3.** Sa collègue – **4.** le nouveau stagiaire – **5.** le directeur – **6.** avec ses collègues – **7.** avec monsieur Marchand

Page 30, exercice 9 : homme : 2 et 4 – femme 1 et 3

Page 30, exercice 10 : 1. de leurs collègues – **2.** oui, excellentes – **3.** elle mange au restaurant – **4.** elle fait un pique-nique – **5.** pas vraiment. Ils ne se détestent pas – **6.** il fait du bricolage – **7.** elle fait du jardinage – **8.** à la montagne

Page 31, exercice 11 : 1. quelquefois – **2.** de temps en temps – **3.** rarement – **4.** souvent – **5.** une fois par mois

Page 31, exercice 12 : 1. discute – **2.** se parle – **3.** se promène – **4.** se déteste – **5.** s'aime – se téléphone – se rencontre – **6.** répare – **7.** bricole – **8.** rend

LEÇON 2

Page 32, exercice 1 : Image 1 : règle 7 – Image 2 : règle 5 – Image 3 : règle 4 – Image 4 : règle 6

Page 32, exercice 2 : 1. F – **2.** V – **3.** F – **4.** V – **5.** F – **6.** F – **7.** V – **8.** V

Page 32, exercice 3 : Phrases exactes : 1 – 4 – 6 – 7

Page 33, exercice 4 : 1. devez – **2.** pouvez – **3.** devez – **4.** devez – **5.** devez – **6.** devez – **7.** voulez – devez – **8.** devez – **9.** pouvez – **10.** voulez – devez

Page 34, exercice 5 : 1/4 – 2/3 – 3/1 – 4/2

Page 34, exercice 6 : Julie accepte : « volontiers » – Paul refuse : « Ah non, désolé » – Gaëlle refuse : « Je regrette mais je ne peux pas » – Lucas accepte : « Avec plaisir »

Page 34, exercice 7 : 1. a – **2.** a – **3.** a – **4.** b – **5.** b

Page 35, exercice 8 : Dialogue 1 : but – pour faire la fête – Dialogue 2 : cause : parce que c'est mon anniversaire – Dialogue 3 : cause : parce que ma fille est malade – Dialogue 4 : cause – parce que j'invite des amis …

Page 35, exercice 9 : 1. chez moi – **2.** avec lui – **3.** chez eux – **4.** chez elle – **5.** avec elle – **6.** d'elle – **7.** avec toi – **8.** avec lui

Page 36, exercice 10 : n° 3

Page 36, exercice 11 : 1. à tout le monde (mesdames, messieurs) – **2.** un sac à dos et une valise – **3.** parce que le sac à dos n'est pas assez grand – **4.** un stylo – **5.** 48 euros – **6.** à un homme – **7.** un sac à main – **8.** un porte monnaie – **9.** 17 euros

Page 37, exercice 12 : 1. voulez partir – **2.** voilà – **3.** trois semaines – votre – vos – **4.** devez prendre – **5.** voulez essayer – **6.** payez – **7.** emportez – **8.** écrire

Page 37, exercice 13 : n° 1 : un sac à dos. Il est pratique, solide, pas trop cher, assez grand – **n° 2 :** une valise. Elle est grande, très légère, utile – **n° 3 :** un stylo. Il est magnifique, gratuit. – **n° 4 :** un sac à main. Il est joli, en cuir, très pratique, bon marché et léger. – **n° 5 :** un porte-monnaie. Il est petit, gratuit.

LEÇON 3

Page 38, exercice 1 : Elle doit faire : n° 1, 3, 4, 6, 7, 8, 10. **Elle ne doit pas faire :** n° 2, 5, 9

Page 38, exercice 2 : 1. a – **2.** a – **3.** b – **4.** a – **5.** b

Page 39, exercice 3 : 1. b – **2.** a – **3.** a – **4.** a – **5.** b – **6.** b – **7.** a

Page 39, exercice 4 : 1. assez – **2.** trop – **3.** un peu – **4.** un peu – **5.** beaucoup – **6.** trop

Page 39, exercice 5 : faire : 3 affirmatifs – **courir :** 1 affirmatif – **nager :** 1 affirmatif – **aller :** 1 négatif, 1 affirmatif – **boire :** 1 affirmatif, 1 négatif – **manger :** 1 affirmatif – **rentrer :** 1 négatif – **regarder :** 1 négatif – **acheter :** 1 affirmatif – **sortir :** 1 négatif

Page 40, exercice 6 : n°s 1 – 4 – 9 – 7 – 5

Page 40, exercice 7 : Françoise : 1 – **Robert :** 4 – **Marie :** 9

Page 40, exercice 8 : 1. V – **2.** V – **3.** F – **4.** F – **5.** F – **6.** V – **7.** V – **8.** F

Page 41, exercice 9 : les pieds, le ventre, la tête, le dos, les jambes, les yeux, les bras, les mains.

Page 41, exercice 10 : **1.** levez-vous – **2.** ne vous arrêtez pas – **3.** asseyez-vous – **4.** levez-vous – **5.** couchez-vous – **6.** relaxez-vous

Page 41, exercice 11 : **1.** parce qu'elle a mal aux pieds – **2.** il ne peut pas rentrer le ventre – **3.** parce qu'elle a mal au dos – **4.** elle touche ses pieds avec ses mains – **5.** ils se couchent sur un tapis – **6.** ils doivent fermer les yeux et respirer tranquillement

Page 42, exercice 12 : n° 3

Page 42, exercice 13 : n° 1 : Il a mal au ventre. n° 2 : Il a mal au dos.

Page 42, exercice 14 : **1.** chez le médecin – **2.** à la gorge – **3.** il tousse et il est fatigué – **4.** ce n'est pas sûr – **5.** une angine – **6.** rester au lit / se reposer – **7.** parce qu'il a beaucoup de travail – **8.** pour qu'il achète des médicaments – **9.** matin, midi et soir – **10.** à la secrétaire – **11.** non (comme d'habitude)

Page 43, exercice 15 : <u>verbe + quantité</u> : **1.** beaucoup – **2.** vous devez vous reposer un peu – <u>quantité + nom</u> : **1.** un peu de – **2.** beaucoup de – **3.** quelques – **4.** trop de

Page 43, exercice 16 : **1.** asseyez-vous – **2.** ouvrez – **3.** faites – **4.** toussez – **5.** je vous conseille de rester – **6.** vous devez vous reposer – **7.** prenez – **8.** rentrez – **9.** reposez-vous

BILAN PAGES 44-45

Page 44, Document 1 : **1.** 3 – **2.** chez leurs cousins – **3.** quelquefois – **4.** 2

Page 44, Document 2 : **1.** pour l'inviter au cinéma – **2.** sortir avec Manon et Clément. – **3.** à 8h30 – **4.** devant le cinéma

Page 45, Document 3 : **1.** 2 – **2.** elle va à l'université / elle étudie – **3.** faux – elle est trop fatiguée – **4.** elle sort avec ses amis

Page 45, Document 4 : **1.** pour le week-end – **2.** huit heures – **3.** le samedi soir – **4.** visiter le salon du bricolage – **5.** dimanche après-midi

UNITÉ 3 ///////////////////////////////////

LEÇON 1

Page 46, exercice 1 : Nathalie : 2 – **Carole** : 4 – **Marion** : 1

Page 46, exercice 2 : **1.** F – **2.** V – **3.** F – **4.** V – **5.** ? – **6.** V – **7.** F – **8.** F – **9.** ? – **10.** V

Page 47, exercice 3 : **1.** le, m' – **2.** le – **3.** l' – **4.** te – **5.** les – **6.** les

Page 47, exercice 4 : **1.** E – **2.** B – **3.** D – **4.** F – **5.** A/C – **6.** A/C

Page 47, exercice 5 : je voudrais déménager – un F1 – vivre avec Julien – un grand jardin

Page 48, exercice 6 : n° 3

Page 48, exercice 7 : **1.** des amis – **2.** avec sa famille – **3.** chez des Américains qu'il ne connait pas – **4.** très intéressée – **5.** dans une maison – **6.** l'homme a des photos de l'appartement.

Page 49, exercice 8 : **1.** changer – **2.** faire – **3.** avoir – **4.** une adresse – **5.** faire – **6.** écrire – **7.** téléphoner

Page 49, exercice 9 : **1.** en juillet – **2.** 3 semaines – **3.** chers – **4.** dans la maison de l'homme – **5.** grand-confortable - clair - bruyant – **6.** au dernier étage – **7.** au centre-ville

Page 50, exercice 10 : image n°2

Page 50, exercice 11 : **1.** un grand appartement – **2.** au centre-ville – **3.** aujourd'hui – **4.** vendredi – **5.** oui – **6.** c'est pas mal - **7.** le propriétaire est absent / il n'a pas les clés – **8.** non – **9.** maintenant

Page 51, exercice 12 : **1.** voudrais le – **2.** doit le – **3.** pouvez le – **4.** peux le – **5.** pouvons le

Page 51, exercice 13 : n°1 : A / F5 – B / centre-ville – C / 5 ᵉᵐᵉ – D / ascenseur – n°2 : A / F4 – B / sur une place – C / 3ᵉᵐᵉ – D / les fenêtres donnent sur la place – n°3 : - A / F3 – B / rue des roses, pas au centre ville - C / rez-de-chaussée – D / libre – E / petit

Page 51, exercice 14 : **1.** b – **2.** b – **3.** a – **4.** b – **5.** a

LEÇON 2

Page 52, exercice 1 : images n°1, 2, 3, 5, 7

Page 52, exercice 2 : **1.** b – **2.** c – **3.** a – **4.** c – **5.** b – **6.** a – **7.** b

Page 53, exercice 3 : **1.** vous – **2.** me – **3.** lui – **4.** lui – **5.** lui – **6.** lui

Page 53, exercice 4 : **1.** b – **2.** a – **3.** a – **4.** a – **5.** b – **6.** b – **7.** a – **8.** a – **9.** a

Page 54, exercice 5 : n° 2 et 3

Page 54, exercice 6 : **1.** F – **2.** F – **3.** F – **4.** V – **5.** V – **6.** ? – **7.** V – **8.** ? – **9.** F – **10.** V

Page 54, exercice 7 : **1.** B – **2.** B – **3.** A – **4.** B – **5.** A

Page 55, exercice 8 : **1.** vais tout changer – **2.** vas changer – **3.** vais peindre - **4.** vais changer – **5.** vais mettre – **6.** va avoir – **7.** va installer – **8.** vais mettre – **9.** va payer – **10.** vais t'aider

Page 55, exercice 9 : **1.** dans la salle de bain – **2.** en bleu comme la mer – **3.** parce qu'elle est vieille/ la douche est plus pratique– **4.** un lave-linge – **5.** deux lavabos – **6.** un grand miroir – **7.** les deux personnes

Page 56, exercice 10 : A, B, E, G

Page 56, exercice 11 : **1.** dans la chambre – **2.** ils changent les meubles de place – **3.** Alice – **4.** il déplace/porte les meubles – **5.** non – **6.** dans le salon – **7.** on ne voit pas la télé – **8.** il est trop petit

Page 57, exercice 12 : **1.** à côté de – **2.** à droite du – **3.** en face du – **4.** sous – **5.** sur – **6.** dans – devant

Page 57, exercice 13 : **1.** a - Ce n'est pas mal / standard – **2.** b -c'est bien / standard – **3.** b - c'est très bien / standard – **4.** a-c'est pas terrible / familier – **5.** a - ça me plait / standard – **6.** b- c'est super / familier – **7.** b - ça, c'est pas génial / familier – **8.** a - ça c'est nul ! / familier

Page 58, exercice 1 : n°s 1 – 3 – 5 – 8

Page 58, exercice 2 : – 1. F – 2. V – 3. F – 4. V – 5. F – 6. V – 7. V

Page 58, exercice 3 : 1. a – 2. -b – 3. a – 4. a – 5. b – 6. b

Page 59, exercice 4 : 1. B – 2. C – 3. D – 4. A – 5. F – 6. H – 7. E – 8. I – 9. G

Page 59, exercice 5 : 1. b – 2. b – 3. a – 4. a – 5. b – 6. a – 7. b

Page 60, exercice 6 : images n°2, 4, 7, 8.

Page 60, exercice 7 : 1. b – 2. a – 3. b – 4. a – 5. b – 6. b – 7. b – 8. b

Page 61, exercice 8 : 1. moi (à Romain) – 2. lui (à une amie) – 3. le (le tapis) – 4. lui (à une amie) – 5. la (la lampe) – 6. lui (à une amie) – 7. lui (à une amie) – 8. les (les fleurs) – 9. lui (à une amie) – 10. lui (à une amie) – 11. lui (à une amie)

Page 61, exercice 9 : 1. petit – 2. nouvelle – 3. ronds/ jaunes, verts, rouges – 4. rose/vertes – 5. petite – 6. bleue/blanche – 7. original – 8. malade – 9. drôle

Page 62, exercice 10 :

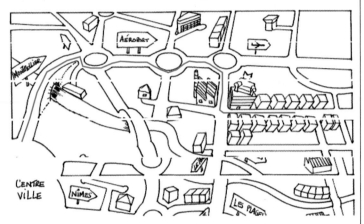

Page 62, exercice 11 : 1. les nouveaux bureaux – 2. samedi à 13h – 3. près de l'aéroport – 4. le chemin / les indications pour y aller – 5. à droite – 6. des meubles – 7. à droite – 8. a – 9. b

Page 63, exercice 12 : E sortez – H traversez – D prenez – A allez– D prenez – F suivez – C passez – G tournez – B continuez – G tournez

Page 63, exercice 13 : 1. ~~information~~ / attention – 2. ~~sont~~ / se trouvent – 3. ~~facile~~ / pratique – 4. ~~grand pont~~ / rond-point – 5. ~~information~~ / indication – 6. ~~encore une~~ / pas d'autres

Page 64, Document 1 : 1. au centre-ville – 2. B et C – 3. à louer – 4. prendre un rendez-vous – 5. à 13h

Page 64, Document 2 : 1. B – 2. petit / pas très clair – 3. petit / pas très clair – 4. demain

Page 65, Document 3 : 1. A – 2. les enfants – 3. B – 4. B

Page 65, Document 4 : 1. il est à côté des universités – 2. b – 3. pas très grande / très calme – 4. une salle de spectacles – 5. si le quartier est bruyant – 6. petite / pratique

UNITÉ 4 //////////////////////////////////////

Page 66, exercice 1 : n°s 2 – 3 – 4 – 6 – 8 – 11 – 13

Page 66, exercice 2 : 1. b – 2. b – 3. a – 4. b – 5. b – 6. a – 7. a – 8. b

Page 67, exercice 3 : 1. du – 2. un – du – du – 3. du – des – 4. du – de la – du – 5. un – 6. un – du – des – 7. d' – 8. un – 9. de – 10. les – 11. un – 12. du – 13. de

Page 67, exercice 4 : 1. bien – 2. bon – 3. bien, bien – 4. bien – 5. bons

Page 68, exercice 5 : n°4

Page 68, exercice 6 : 1. b – 2. a – 3. c- 4. b

Page 69, exercice 7 : 1. de la salade – 2. des carottes – 3. des olives noires – 4. du pain – 5. du poulet – 6. des pommes de terre – 7. des pommes de terre – 8. de la sauce

Page 69, exercice 8 : 1. la salade, des champignons – 2. le plat – 3. très bien – 4. le plat – 5. poulet aux herbes de Provence – 6. Mélanie – 7. elle en a – 8. des tomates – 9. non – 10. c'est très bon / délicieux/ excellent – 11. oui

Pages 70, exercice 9 : dialogue1 : n°4 – dialogue 2 : n°3 – dialogue 3 : n° 1 – dialogue 4 : n° 2 – dialogue 5 : n° 5

Pages 70, exercice 10 : 1. au restaurant – 2. après le repas – 3. il a mis la table – 4. elle a préparé le repas – 5. avec sa sœur et le mari de sa sœur – 6. le mari de sa sœur – 7. l'homme – 8. non, elle n'a pas fait la sauce – 9. pour les invités – 10. des verres

Pages 71, exercice 11 : 1. a) a … mangé – b) ont fait – c) a dansé – 2. a) as fini – b) as mis – c) as choisi – 3. a) as dîné – b) a dormi – c) avez … bu – d) ai … bu – 4. a) as goûté – b) as oublié – c) ai … fait – 5. a) as acheté – b) ai … pris – c) as acheté – d) a cassé – e) ai oublié

Page 72, exercice 1 : n° 3

Page 72, exercice 2 : 1. F – 2. F – 3. V – 4. V – 5. F – 6. F – 7. V – 8. ? – 9. V – 10. ? – 11. V – 12. ?

Page 73, exercice 3 : 1. fait – 2. pu – 3. eu – 4. été – 5. pris – 6. acheté – 7. oublié – 8. dû – 9. voulu – 10. acheté – 11. offert – 12. pris – 13. oublié

Page 73, exercice 4 : 1. b – 2. b – 3. a – 4. a – 5. a – 6. b – 7. a – 8. b – 9. b – 10. b – 11. b – 12. a

Page 74, exercice 5 : n°s 2 – 5 – 6 – 8 – 9 – 11

Page 74, exercice 6 : 1. b – 2. b – 3. a – 4. b – 5. b – 6. a – 7. b – 8. b – 9. a – 10. b

Page 75, exercice 7 : 1. un melon – 2. 1 kilo 100 de courgettes – 3. quatre tranches de jambon – 4. cinq tranches de jambon – 5. une boîte de petits pois – 6. 350 grammes de jambon

Page 75, exercice 8 : 1. qu'est-ce que je vous sers ? – 2. Et avec ça ? – 3. Ensuite ? – 4. Autre chose ? – 5. C'est tout ?

Page 75, exercice 9 : 1. voudrais – 2. reconnais – 3. mettez-moi – **4.** donnez-moi – **5.** prendre – **6.** regardez – **7.** un euro quatre-vingt – **8.** ça fait – **9.** ça vous fait

Page 76, exercice 10 : 1. 2 – **2.** 4 – **3.** 1 – **4.** 3

Page 76, exercice 11 : 1. au supermarché – **2.** non, pas du tout – **3.** un plateau de fruits de mer – **4.** les soupes – **5.** le tennis – **6.** dans un bureau – **7.** près de l'université – **8.** très grand – **9.** trouver une place – **10.** rien – **11.** la queue est trop longue

Page 77, exercice 12 : 1. suis partie – **2.** suis passée – **3.** suis restée – **4.** es allée – **5.** êtes / venus – **6.** est sorti – **7.** est allé – **8.** est monté / est descendu – **9.** est arrivé – **10.** est parti

Page 77, exercice 13 : 1. tôt ce matin – **2.** 40 minutes – **3.** hier matin – **4.** jeudi dernier – **5.** la semaine dernière

LEÇON 3

Page 78, exercice 1 : 1. 4 – **2.** 1 – **3.** 2 – **4.** 3

Page 78, exercice 2 : Dialogue 1 : a. faux – b. vrai – c. vrai – d. faux – **Dialogue 2 :** a. faux – b. vrai – c. faux – d. vrai – **Dialogue 3 :** a. faux – b. vrai – c. faux – d. vrai – **Dialogue 4 :** a. vrai – b. faux – c. faux – d. vrai

Page 79, exercice 3 : Dialogue 1 : J'ai beaucoup de magazines … - Je ne connais pas Motus – Je prends Motus – Je n'ai plus de timbres – **Dialogue 2 :** J'ai un peu de fièvre – Ne prenez pas trop d'aspirine – Je vais prendre de l'aspirine – **Dialogue 3 :** Vous avez le nouveau livre … - j'ai le nouveau livre … - Je voudrais dix livres – je n'ai pas assez de livres – vous pouvez me commander les livres – **Dialogue 4 :** Ne prends pas trop de gâteaux – les enfants ne mangent pas de gâteaux – tu choisis les gâteaux – je veux un gâteau au chocolat – on prend un peu de bonbons

Page 79, exercice 4 : 1. mots croisés – timbres – **2.** ce soir – demain à quatorze heures – **3.** succès – la semaine prochaine – **4.** ce soir – tarte au citron

Page 80, exercice 5 : n° 3

Page 80, exercice 6 : 1. a – **2.** b et c – **3.** b et c – **4.** a et c – **5** c – **6.** b

Page 80, exercice 7 : 1. A – **2.** B – **3.** A – **4.** B – **5.** A – **6.** A – **7.** B – **8.** A

Page 81, exercice 8 : 1. vingt – **2.** trois – **3.** ce matin – **4.** hier – **5.** un pull gris – **6.** quand ils se sont rencontrés – **7.** oui

Page 81, exercice 9 : 1. t'es changée (se changer) – **2.** me suis habillée (s'habiller) – **3.** t'es déshabillée (se déshabiller) – **4.** me suis promenée (se promener) – **5.** s'est rencontré (se rencontrer)

Page 82, exercice 10 : n°1

Page 82, exercice 11 : 1. oui – **2.** un ensemble chic et léger – **3.** 40 – **4.** une veste et un pantalon en soie – **5.** oui – **6.** à droite – **7.** elle pense qu'il y a quelqu'un – **8.** non, il est trop serré – **9.** 42 – **10.** un foulard

Page 83, exercice 12 : 1. jamais – **2.** plus – **3.** encore – **4.** encore – **5.** quelqu'un – **6.** personne – **7.** plus – **8.** toujours – **9.** rien – **10.** quelqu'un

Page 83, exercice 13 : 1. Je peux vous aider, madame ? – **2.** Qu'est-ce que vous cherchez ? – **3.** Vous faites quelle taille ? – **4.** Ça me plaît beaucoup – **5.** Alors, ça va ? – **6.** j'ai un peu grossi – **7.** Vous avez du 42 ? – **8.** Et la veste, elle vous va bien ?

BILAN PAGES 84-85

Page 84, Document 1 : 1. va dîner chez Julie – **2.** 1 – 3 – 4 – 7 – **3.** parce qu'elle s'est réveillée tard / elle n'a pas entendu le réveil – **4.** Julie

Page 84, Document 2 : 1. des conseils – **2.** 2 et 3 – **3.** 3 – **4.** tranquillement – **5.** 09 63 13 84 36

Page 85, Document 3 : 1. de 10 heures à 19 heures 30 – **2.** un – **3.** 3 – **4.** 38 – **5.** cet après-midi

Page 85, Document 4 : 1. une veste – **2.** ne va plus dans les magasins – **3.** au restaurant, au bord de la mer – **4.** chez sa mère – **5.** beaucoup – **6.** après le week-end

UNITÉ 5 ///

LEÇON 1

Page 86, exercice 1 : nᵒˢ 1 – 3 – 5

Page 86, exercice 2 : 1. vrai – **2.** vrai – **3.** faux – **4.** faux – **5.** faux – **6.** faux – **7.** vrai – **8.** vrai – **9.** vrai – **10.** vrai – **11.** faux

Page 87, exercice 3 : 1. F – **2.** H – **3.** E – **4.** B – **5.** G – **6.** A – **7.** C – **8.** D

Page 87, exercice 4 : 1. ce matin – **2.** contrôleurs – **3.** bouchons – **4.** ville – **5.** voyageurs – **6.** Préférez – **7.** parking – **8.** veulent – **9.** circuler – **10.** besoin – **11.** touristes – **12.** chaud

Page 87, exercice 5 : 1/10 – 2/7 – 3/9 – 4/6 – 5 /2 – 6/1 – 7/12 – 8/11 – 9/4 – 10/5 – 11/3 – 12/8

Page 88, exercice 7 : 4

Page 88, exercice 8 : 1. XIIIᵉ siècle – **2.** ne peut pas répondre à toutes les questions. – **3.** un musée – **4.** derrière le château – **5.** le château

Page 89, exercice 9 : 1. Plus petite que – **2.** aussi ancienne que – **3.** Meilleure que – **4.** Aussi riche que – **5.** Moins beau / moins grand que – **6.** moins grand / moins beau que

Page 89, exercice 10 : 1. devant la cathédrale – **2.** oui, c'est exact – **3.** en face de la faculté de médecine – **4.** il est intéressant – **5.** du dix-huitième siècle – **6.** une fontaine – **7.** Oui. Elle dit : « bonne idée »

Page 90, exercice 11 : 6 – 4 – 2 – 3 – 1 – 5

Page 90, exercice 12 : 1. son passeport – **2.** pour chercher un paquet – **3.** pour retirer de l'argent – **4.** pour rencontrer une amie – **5.** avec un policier – **6.** non, peut-être que quelqu'un l'a volé – **7.** aller à la préfecture

Page 91, exercice 13 : 1. que = un paquet, mon frère m'a envoyé un paquet. – **2.** que = une employée, je connais une employée. – **3.** que = une amie, je vois une amie tous les lundis. – **4.** qui = mon porte-monnaie, mon porte monnaie est toujours dans mon sac. – **5.** que = une déclaration, vous allez porter une déclaration à la préfecture.

Page 91, exercice 14 : 1. asseyez-vous – **2.** j'ai dû (montrer mon passeport) – **3.** (vous avez peut-être) laissé votre passeport là-bas – **4.** elle ne l'a pas vu – **5.** on a pris (un café) – **6.** comment êtes-vous allée (à l'université ?) – **7.** (on va faire) une déclaration de perte – **8.** votre nom ?

LEÇON 2

Page 92, exercice 1 : n°s 1, 3, 4, 5

Page 92, exercice 2 : 1. faux – **2.** faux – **3.** vrai – **4.** vrai – **5.** faux – **6.** faux – **7.** vrai – **8.** vrai – **9.** vrai – **10.** faux

Page 93, exercice 3 : 1. dix jours – **2.** les lacs – **3.** non – **4.** Venise – **5.** trois jours – **6.** au sud – **7.** la semaine prochaine

Page 93, exercice 4 : 1. au – **2.** à / au – **3.** au – **4.** à – **5.** en /à – **6.** au – **7.** en – **8.** au / à – **9.** aux

Page 94, exercice 5 : n°2 et 3

Page 94, exercice 6 : 1. b – **2.** a – **3.** c – **4.** b – **5.** c – **6.** a – **7.** c

Page 95, exercice 7 : 1. trains → TGV – **2.** arrive → part – **3.** prenez → réservez – **4.** évidemment → bien sûr – **5.** plus → moins – **6.** pensez → n'oubliez pas – **7.** tout de suite → maintenant – **8.** voir → recevoir – **9.** ça va → d'accord

Page 95, exercice 8 : 1. vers – prochain – **2.** de – à 6h15 – à – à 9h21 – **3.** à 19h47 – à 19H51 – **4.** 2 heures 58 minutes – **5.** de – à 21h05 – **6.** ne – qu'une – **7.** à – **8.** de – **9.** seulement – midi – 2 heures

Page 96, exercice 9 : n° 1 - 2 - 4 - 5

Page 96, exercice 10 : 1. la location de la voiture – **2.** à minuit – **3.** 2 heures du matin – **4.** les deux premières nuits – **5.** au centre – **6.** oui – **7.** sous la tente – **8.** en mai – **9.** se baigner

Page 96, exercice 11 : 1. à l'aéroport / à l'agence – **2.** à l'hôtel – **3.** dans les forêts – **4.** dans les forêts – **5.** dans les forêts – **6.** dans le lac

Page 97, exercice 12 : 1. le responsable de l'agence – **2.** deux – **3.** trois – **4.** il est très confortable – **5.** non – **6.** sa famille / ses enfants – **7.** dans les lacs – **8.** touristique

LEÇON 3

Page 98, exercice 1 : n° 4

Page 98, exercice 2 : 1. vrai – **2.** vrai – **3.** faux – **4.** faux – **5.** faux – **6.** vrai – **7.** faux – **8.** vrai – **9.** faux – **10.** vrai – **11.** faux – **12.** vrai

Page 99, exercice 3 : 1. gris – froid – **2.** températures – degrés – **3.** nuages – **4.** orages – pluies – **5.** pleut – **6.** mauvais –

7. neigé – **8.** vent – **9.** nuages – **10.** beau – froid – **11.** température – monter – **12.** soleil – briller

Page 99, exercice 4 : 1. ce matin – **2.** cette partie – **3.** cet après-midi – **4.** cette nuit – **5.** ce week-end – **6.** ces montagnes – **7.** ce matin – **8.** cet après-midi

Page 100, exercice 5 : n°s 1 – 3 – 4

Page 100, exercice 6 : 1. V – **2.** F – **3.** ? – **4.** F – **5.** V – **6.** V – **7.** V – **8.** F – **9.** F – **10.** ? – **11.** F – **12.** V – **13.** F – **14.** V – **15.** ? – **16.** F

Page 101, exercice 7 : 1. plus que nous – **2.** moins que moi – **3.** plus que moi – **4.** plus me reposer / qu' – **5.** autant avec qu'

Page 101, exercice 8 : 1. à la montagne avec ses parents – **2.** à la montagne – **3.** avec les parents de son copain – **4.** a de la chance de partir – **5.** au bord de la mer Méditerranée avec ses parents et son frère Loïc – **6.** au printemps, en avril – **7.** parce qu'il ne va pas faire assez chaud – **8.** des lunettes de soleil – un maillot de bain – des chaussures de marche – un sac à dos – **9.** Martin

Page 102, exercice 9 : n°s 1 – 4 – 6 – 8

Page 102, exercice 10 : 1. pour rêver – **2.** non – **3.** des palmiers – **4.** le village est exotique, les rues sont petites et les maisons sont blanches. – **5.** elle n'a pas été très courageuse – **6.** le marchand de souvenirs – **7.** un palmier en plastique – **8.** parce que c'est un cadeau stupide et amusant.

Page 103, exercice 11 : 1. il y a plus de touristes ici que sur la plage de la photo – **2.** il y a moins de soleil ici que sur cette plage – **3.** il y a moins de palmiers ici que sur cette plage – **4.** il y a plus de voitures ici que dans ce village – **5.** Élodie a envoyé plus de cartes postales l'année dernière que cette année – **6.** Il y a autant de choix dans la boutique de souvenirs que dans un grand magasin

Page 103, exercice 12 : 1. oui / je ne vais pas les oublier – **2.** oui / Pourquoi pas ? – **3.** non / c'est super, il n'y a personne – **4.** oui, il est très sympathique – **5.** oui, oh ! non !

BILAN PAGES 104-105

Page 104, Document 1 : 1. la gare – **2.** de 21h à 6h – **3.** pour le moderniser – **4.** B – **5.** fermée le jour et la nuit

Page 104, Document 2 : 1. il a eu un problème technique – **2.** C – **3.** pratique et sûr – **4.** un gâteau – **5.** B

Page 105, Document 3 : 1. du week-end prochain – **2.** B – **3.** cette nuit – **4.** A – **5.** 16°/16 degrés

Page 105, Document 4 : 1. 2 semaines – **2.** A – **3.** bon marché – **4.** ils vont se baigner – **5.** les vêtements – **6.** en voiture

Imprimé en Italie en Juillet 2020 par «La Tipografica Varese Srl» Varese
Dépôt légal : octobre 2017 — Projet : 10266826